日本をダメにした
ネット炎上10年史

ざんねんなインターネット

ひろゆき（西村博之）

扶桑社

はじめに

ネット炎上をきっかけに簡単に〝人生が詰む〟時代

「歴史は繰り返す」という名言があります。

この言葉は「資本論」で有名なカール・マルクスが別の著書で言ったものとされていますが、実はそのはるか前に同じ意味の言葉が生まれていました。

古代ローマの歴史家・クルチュウス＝ルーフスが「過去に起こったことは、同じようにして、その後の時代にも繰り返し起こる」と言っているのですね。

「のちの時代でも同じようなことが起きるよ」と言った人がいて、それと同じ意味のことを言う人が後世に出てくる。

まるでお笑いのネタみたいな話ですが、大昔から繰り返し言われているくらいなので、同じことを繰り返すのは人の世の常だと思うのです。

そして、いつの時代にも頭の悪い人というのが一定数は存在します。10年前だろうと100年前だろうと、江戸時代だろうと現代だろうと、必ずバカは存在しています。

バカだから学べないのか、学ばないからバカなのかは不明です。**しかし、バカというのは「バカの先駆者」がやったことを学ばず、同じことをします。**

10年ほど前に、某牛丼チェーンのアルバイトが「テラ豚丼」と題して不衛生な行為をした動画をネットにアップし、大問題になりました。

それなのに10年後には回転寿司店でアホなことをやらかしてネットにアップしちゃう人が出てくる。バカによる似たような事件は、何度も何度も繰り返し起きているわけです。

本書には、かつてネットで炎上した事件が大量に出てきます。

無知な若者によるバカ炎上。
お金欲しさに過激化するネットユーザー。
消費者を騙すネット詐欺。
企業のずさんなサービスへのバッシング。
世間を震撼させたサイバー犯罪……etc.

それらはある意味、**日本のインターネットの「負の歴史」**とも言える内容です。

本書は、もともと雑誌「週刊SPA!」の連載として、僕が10年以上にわたりネット炎上を観察してきた内容がベースになっています。それら過去の炎上事件をまとめつつ、2023年現在の目線で改めて分析したものです。

読んだ人はきっと「人間って進歩してないなぁ……」と実感すると思いますし、笑うと思います。

昔と今で違いがあるとしたら、昔はネット上だけで済んでいた騒ぎでも、**スマホが普及した今では、ほぼ確実に〝現実の騒ぎ〟に直結する**ことです。

その意味では、炎上するリスクは昔よりも高まっていると言えます。今ではネットでの炎上によって、簡単に人生が〝詰んでしまう〟こともあるわけです。

だからこそ、「過去の炎上事件から学ぶべきことは何なのか?」「同じような炎上を起こさないためにどうするべきなのか?」を知ることが大事なのですね。

今回は、そういったことに対する僕なりの見解を書きました。「お前に言われたくねぇよ」という人もいると思いますが、少なくとも「2ちゃんねる」創設からネット上の事件に触れてきたので、多少は参考にしてもらえる部分があるような気がしています。

「愚者は経験から学び、賢者は歴史に学ぶ」と言われています。つまり、愚者になるか賢者になるかは、あなた次第。

「後世のバカ」にならないためにも、過去の炎上という〝負の遺産〟から、今の時代に生かせる何かを学びとってもらえると嬉しいです。

2023年3月上旬　ひろゆき（西村博之）

CONTENTS

※本書は、2010年1月から2019年12月まで週刊SPA！に掲載されたコラム「ネット炎上観察記」を改題し、抜粋・再構成して一冊にまとめたものです。各ファイルの末尾には掲載日を表記し、登場する人物や企業・団体の情報に関しては掲載当時のものを記しています。

BACK TO
2010

FILE 001 ロマンシング詐欺事件

FILE 002 ツイッターなりすまし騒動

FILE 003 「ドブスを守る会」大炎上

FILE 004 尖閣諸島ビデオ流出事件

FILE 005 自殺映像ネット生中継

炎上度

FILE 001

ロマンシング詐欺事件

2010年
5月発生

zakzak
政治・社会
ホーム > 政治・社会 > 国内 > ニュース詳細
ロマンシング詐欺首謀者、個人情報暴露され“返り討ち”に
2010.05.27

ファイル共有ソフト上にウイルスを仕込んだフォルダを配信し、ダウンロードしたユーザーの個人情報を「著作権法違反者」としてインターネット上に公開。削除に際し「和解金」名目で金を振り込ませていた男らが、詐欺容疑で警視庁に逮捕された。男らの行為を苦々しく見ていたネットユーザーたちは逮捕を機に猛然と“逆襲”。男らの個人情報を大量にネット上にさらし始めている。

《ざまぁwww》《最高にかっこ悪いな》《流出したやつも逮捕、ウイルス作ったやつも逮捕、万事解決》《大勝利》

ウイルスを作成して逮捕された岡容疑者【拡大】

今回の逮捕の一報直後から、これまで容疑者らに煮え湯を飲まされてきた被害者や、これまでの容疑者らの行為をつぶさに観察していたネットユーザーらは一斉に歓喜した。

警視庁ハイテク犯罪対策総合センターによると、逮捕されたネット関連会社「ロマンシング」社長の男(20)＝事件当時未成年＝とプログラマーの岡顕三容疑者(27)は昨年11月ごろ、個人情報暴露ウイルスを仕込んだフォルダをアダルトゲームに偽装してファイル共有ソフト上に配信。これをダウンロードして感染した数人の個人情報をネット上に公開し、著作権法違反を警告したうえで、「1500円で情報を削除する」と持ちかけ、現金計数万円をだまし取った疑い。コンピューターウイ

違法ダウンロードにつけ込み詐欺をしていた男を逮捕

PC用アダルトゲームにウイルスを仕込み、違法ダウンロードを促してカネを騙し取っていた男が逮捕される事件が発生。ウイルスに感染するとPC内の情報が詐欺犯の用意した掲示板に掲載される仕組みで、犯人はこの情報をもとに「著作権法違反の和解案」を持ちかけていた。振込先に犯人の一人が社長を務める㈱ロマンシングの口座が指定されていたことから、同事件は「ロマンシング詐欺」とも呼ばれた。(写真は当時の事件報道)

当時の日記

どうも。少し前はフロリダにいたのに、今はジンバブエにいたりするひろゆきです。

さて、今回は前から気になっていた事件で逮捕者が出たことについて考えてみます。「ロマンシング詐欺」とも呼ばれるこの事件の犯行の流れは、こんな感じでした。

①ウイルス入りのエロゲーをＷｉｎｎｙなどの**P2Pソフト**を使ってばら撒く

②それを違法にダウンロードした人たちがウイルスにかかり、個人情報がウイルスをしかけた会社「ロマンシング」の掲示板に自動的に投稿されてしまう

③「掲示板に掲載された個人情報を消してほしければ、お金を振り込め」と伝える

④違法ダウンロードした人は自分の名前が掲示板にあることに焦り、お金を払う

要は新手の振り込め詐欺的なビジネスモデルです。

そして今回、逮捕された犯人はアダルトゲームのメーカーとは何の繋がりもなかったわけですが、「実は犯人がアダルトゲームメーカーと手を組んでいたら、面白い販売戦略なんじゃないか？」とか、僕は思っていたりしたのですよ。

例えば、犯人がアダルトゲームメーカーと組んでいた場合、違法ダウンロードした人が「個人情報を削除してほしい」と連絡してきたら、**ゲームの定価**を請求することも可能だったわけです。今回は、詐欺での逮捕ですが、違法ダウンロードした人に対してメーカーが民事で代金請求するのは合法なのですね。

ネット上で「あのアダルトゲームはウイルスらしいよ」と噂が出るだけで違法ダウンロードの件数も減りそうですし、しかも卸しなど中間流通を通さずに違法ダウンロードした人に定価を請求できるわけです。メーカーの利益率も高くなりますよね。

というわけで、今後はこの一件から「経営が傾いたアダルトゲームメーカーの〝起死回生の策〟として模倣犯が出るんじゃないか？」と、アフリカの空の下から生暖かく見守っていました。

（ＳＰＡ！２０１０年６月１５日号に掲載）

P2P／「Peer-to-Peer」の略で、不特定多数の端末（パソコンやスマホ）がサーバを介さずに直接データファイルを共有できる通信方式

ゲームの定価／今回違法ダウンロードされたソフトの定価は9800円。詐欺犯が違法ダウンロードユーザーに請求した額は5800円だった

炎上度

FILE

002

ツイッター なりすまし騒動

2010年
6月発生

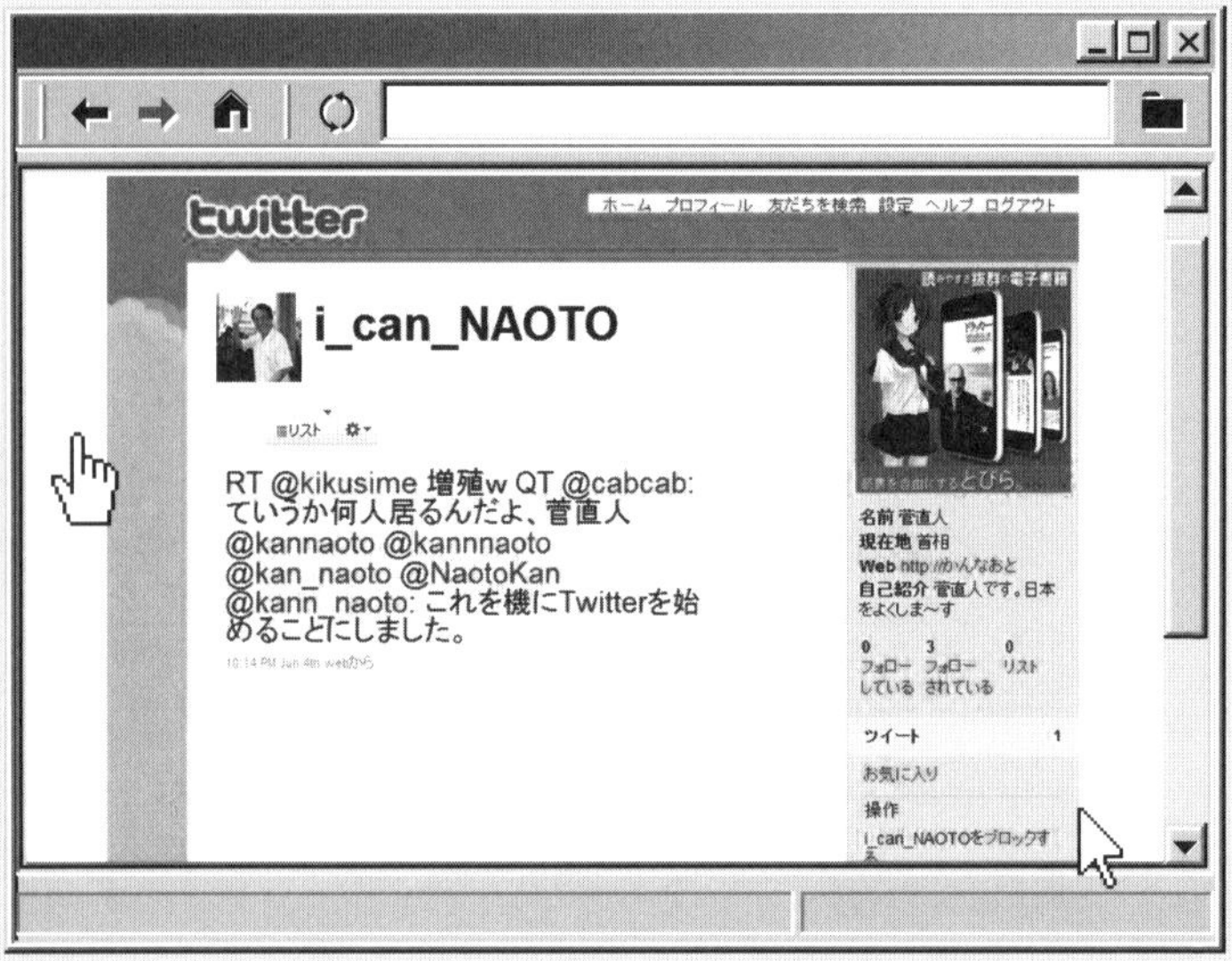

なりすましや殺人予告も。 ツイッター上の事件が増加

2010年頃からはツイッター上で様々な問題が勃発。5月には元交際相手に対して「確実に殺します」と殺害予告を書き込んだ32歳の男が逮捕。さらに6月には菅直人首相（当時）のなりすましアカウントが発見されるなど、ツイッターを舞台にした騒動が立て続けに起きていた。当時、議員のなりすましアカウントは複数あり、「選挙妨害になりかねない」と懸念する声も。（写真は当時のツイッター画面）

当時の日記

ジンバブエとヨハネスブルクに行っていましたが、ようやく帰国した、ひろゆきです。

さて、「ネットは危険だ」などと言われて10年くらい経ちましたが、「きれいなネット」「安全なネット」を期待する声は昔からあったのですね。

そして、米国発で芸能人も使いたがる〝素敵なサービス〟としてメディアでも取り上げられるツイッターですが、現実としては他のサイト同様に犯罪予告やなりすましが起こっています。

EMAの審査を通っているモバゲーとかGREEとかが、出会い系サイトとして利用される事件があるのと同じように、結局、人が使う限りは犯罪や危険な行為のために使われ続けるわけです。

まぁ、人間社会で犯罪がなくなれば、ネットでもなくなるかもしれませんが。

今後は高級マンションのように、一定の入会資格を持つ人だけを集めるクローズドコミュニティにして安全を確保する方向になるかもしれません。

ただ、そもそも営利企業が運営している時点で、「広告費が欲しい」「売り上げが欲しい」など、利潤追求をすることからは逃れられません。すなわち、ユーザー数を増やしたがってしまうわけです。

そうすると、危険な行為をする人が内部に紛れ込んでしまって、犯罪予告やら援助交際やら、薬物の売買やらがクローズドなコミュニティでも発生するようになってしまいます。

こういうことが起こると、また「実名が必要だ」とかいろいろ言われるわけですが、そういうのもネットが危険だと言われているのと同じくらい、長いこと言われていることだったりします。

そんなわけで、「きれいなネット」は、まだまだ実現するのは難しいと思うので、ツイッターに危険な人が跋扈するのも時間の問題なんじゃないかと思ったりするわけです。

まぁ、現状ですら〝跋扈していない〟とは言えませんけどね。

（SPA!2010年6月22日号に掲載）

EMA／一般社団法人モバイルコンテンツ審査・運用監視機構の略称。「モバイルコンテンツを健全なものに」といった命題を掲げ、いわゆるフィルタリングの審査基準などを設けていた。だが、事実上、援助交際が行われているサイトの運営企業が会員として参加しており、その審査内容を疑問視する声も上がり、2018年5月をもって解散した

炎上度

FILE
003

「ドブスを守る会」大炎上

2010年
6月発生

「ドブスを守る会」と称し、女性画像を無断掲載で炎上

「今日の日本においては、ドブスが絶滅の危機に瀕している」。首都大学東京（現・東京都立大学）の学生が「ドブスを守る会」と称した動画を出演者に無許可で動画サイトに掲載。ネット上では「不道徳だ」と炎上する騒ぎに発展した。学生は街ゆく女性に声をかけ、その姿を撮影。その後、女性に本来の撮影意図を伝え、削除を求められていたが掲載を強行したという。（写真は当時の動画）

当時の日記

ロサンゼルスで開催されている**E3**に、初めて参加したひろゆきです。E3とは、アメリカ市場で発売されるゲームの展示会で、卸や小売店、メディアなどゲーム業界関係者しか入場できない硬派なイベントなのですが、みんな普通にゲームをプレイするために列に並んでいたりして、「どう見ても、仕事で来てないだろお前ら……」という感じでした。

というわけでバタバタしていたのですが、日本ではまたもや大学生が道徳的に問題のある動画を流すという騒動があったみたいです。

ただ、こういう「刑法に触れるわけじゃないけど、不道徳な行為」に対しては法律で罰することもできないので、結局は文句を言うぐらいしかやれることはないんですよね。

事件を起こした人がブログとかミクシィとかをやっていれば、そこを炎上させることで振り上げた拳を下ろす先が見つかるわけですけど、今回のようにブログなどが発見されてなかったりすると、所属している大学とか会社とかの組織に苦情がいくというパターンをよく見かけたりします。

でも、本来なら大学は勉強を学ぶ場所であって、しつけをするところではないですよね。それなのに「大学に監督責任がある」ということになってしまうんじゃないかと思います。

すると、今回みたいに学生が行きすぎたことをするたびに大学が謝らないといけなくなるので、大学にとっては面倒くさいことになっていくんじゃないかと思うんですよ。「大学は一切関与してないので、知りません」という対応でいいと思うんですけどね。

しかし、女性を敵に回すと大変だということは、大学生ぐらいの年齢になればわかると思うんですよ。まぁ、今回の事件を起こしてしまった学生は**本名などがネットで流出**しているようなので、処分うんぬんではなく、一生その罪を背負って生きるという戒めを受け入れていくことになると思いますけど。

（SPA!2010年7月6日号に掲載）

E3／アメリカで開催される、世界最大のゲーム展示会・見本市で、「Electronic Entertainment Expo」の略称

本名などがネットで流出／投稿した動画のエンドロールにはご丁寧に制作者の本名が記載されていた

炎上度

FILE

004

尖閣諸島ビデオ流出事件

2010年
11月発生

尖閣ビデオ、ネットに流出。政府が会見を開く事態に

2010年11月4日、沖縄・尖閣諸島沖での中国漁船衝突事件の際に海上保安庁が撮影した映像が、「sengoku38」というアカウント名によってユーチューブに投稿された。この情報が2ちゃんねるに掲載されると、瞬く間にネット上で拡散。翌朝にはニュースとして日本中に広まり政府は会見を開く事態に。後日、海上保安官の一色正春氏による行為と判明した。(写真は当時の動画)

当時の日記

ス

ペースシャトルの打ち上げを見学しにフロリダまで来たのですが、打ち上げが延期になりダラダラしているひろゆきです。

さて、日本では尖閣諸島沖で海上保安庁の船と中国漁船が衝突した動画がユーチューブにアップされ、**やたらと話題になっている**ようです。

僕は2ちゃんねるにスレッドが立っていたのに気づいて動画を観たんですけど、何本かアップされている動画のなかには、どうやら国会に未提出のモノもあるっぽいですね。すると、ねつ造とかの可能性もあるわけですけど、内容的にみてもねつ造とは思えない感じの動画だったりします。

そうなると、アップロードした人は編集されてない映像を入手できる人になるわけですが、そんな人物は海上保安庁の人か政府関係者しかいません。そして、投稿者と思われる人が動画をアップロードした後、2ちゃんねるに書き込みをしたのが24時というネットのゴールデンタイムだったりするわけです。

この2つのことを考えてみると、「尖閣諸島の動画を広めるためには、どうしたら効率的か？」ということを、かなり理解している人の仕業のように感じます。

中国での尖閣諸島問題の見解は、日本政府の公式な対応が「尖閣諸島のビデオは公開しない」としたこともあってか、「海上保安庁が船をぶつけてきた。**日本鬼子**」という世論になっています。でも真実は、中国船がぶつかってきたわけで、動画を流せば中国サイドの主張が間違っていたと世論を変えられるわけです。

ただ、日本政府は大真面目にこの事実を公表しちゃうと、公式な対応とズレてしまいメンツが保てなくなります。しかし、「リークはされちゃったけど、政府は関知してないです」ってことにすれば、メンツを保ちつつ真実も明らかにできて、日本側がかなり有利にできるんですよね。

ということで、支持率も下がってきた民主党政権ではありますが、なかなか優秀だなぁと、他人事のように邪推をしてみたりする昨今です。

（SPA!2010年11月23日号に掲載）

やたらと話題になっている／動画はコピーされ、世界中の動画共有サイトに転載。動画が消えるたびに複数のコピーがアップロードされていた

日本鬼子／中華系地域で使われる日本人に対する蔑称。これに対し日本のネット上では有志が「ひのもとおにこ」なる萌えキャラを創作する一幕も

炎上度

FILE 005

2010年11月発生

自殺映像ネット生中継

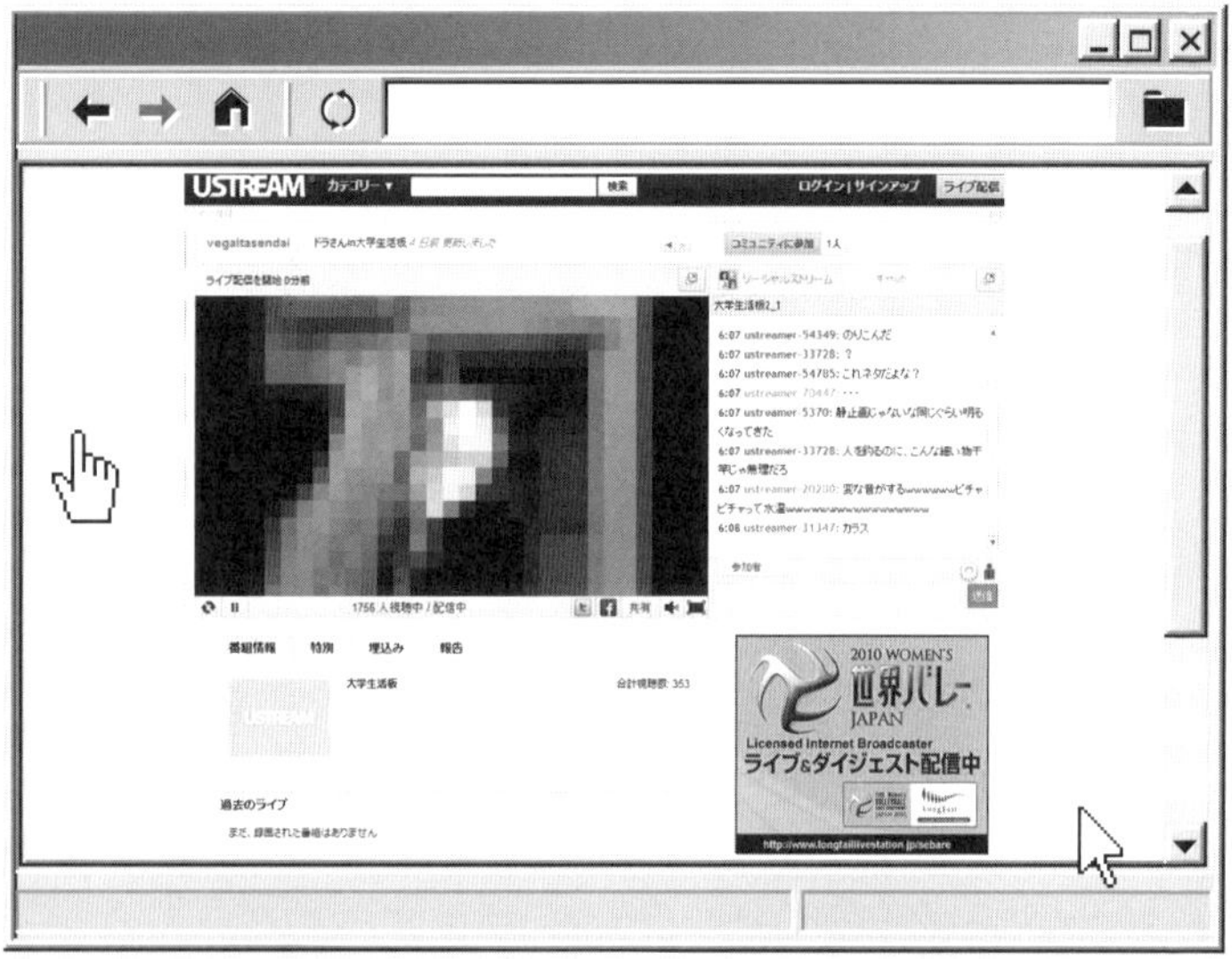

首吊り映像がまさかの生中継。視聴者が通報して発覚

2010年11月9日早朝、仙台市内のアパートで男性（24歳）が首を吊り死亡した。男性は事前に「ユーストリーム」で自殺予告を中継。同日午前5時半頃に首を吊っている映像が生中継され、視聴者が通報して発覚した。視聴者のなかには「自殺前に警察に通報したが、相手にしてもらえなかった」とネット上に書き込むユーザーもおり、警察の対応に非難の声も上がっていた（写真は当時の動画）

当時の日記

フロリダで待ち続けたのですが、結局スペースシャトルが打ち上がらず、日本に帰ってきたひろゆきです。

その頃の世間では、ネットの自殺中継をやんややん や言っている人が、他の人から「現実感がないから言えるんだ!」とか、非難されているみたいです。

ネットでいろいろ生中継ができるようになったので、僕は以前から「そのうち自殺と犯罪の中継は起こる」と断言していたわけですが、残念なことに予想どおりになってしまいました。

ネットは特別な場所ではなく現実である以上、世の中で自殺や犯罪がなくならない限り、ネット上でも同じことを見かける機会は当然発生します。そして、愉快犯にとっては〝報道される〟ことがメリットなので、こういった事件がニュースになればなるほど、愉快犯のネット生中継が増えていく気がするのです。

残念なことですが、世の中には自殺したいと思っている人は大勢います。そして、そういった志願者たちが実際に自殺するきっかけにならぬよう、WHO（世界保健機関）が「マスメディアが自殺に関する報道をする際には気を使うように」といった手引きを掲げていたりします。例えば以下のような内容です。

「自殺を、センセーショナルに扱わない。当然の行為のように扱わない。あるいは問題解決法の一つであるかのように扱わない」

「自殺の報道を目立つところに掲載したり、過剰に、そして繰り返し報道しない」

今回の自殺中継は、世間のニュースでは何回も繰り返して流されていなかったので、メディアもちゃんと対応しているんだなぁ……と思った次第です。

今回、亡くなった方は突然思い立ったわけではなく、**前々から自殺すると決めて**、その後に中継をしたようです。ただ、これが自殺中継の最中にユーザーとあれこれ会話ができる環境なら、もしかしたら違う結果になっていたのかなぁ……とも思います。なんとかして自殺を止められればよかったのですが。

（SPA!2010年12月7日号に掲載）

前々から自殺すると決めて／自殺をした人物は、数日前から2ちゃんねるに自殺をほのめかす文章を書いていた

現在のひろゆきが振り返る2010年

ツイッターと動画プラットフォームが「巨大な炎上装置」になったワケ

2010年当時は、インターネットといってもガラケーでメールの送受信をするなど、まだ個人間でのやり取りが多かった時代です。

しかし、徐々にネット上のオープンな場所に匿名ではない状態で書き込みをしたり、動画をアップしたりする人が増えてきました。

そんななかで急速に人気を得ていったのがツイッターです。2008年に日本版がリリースされたツイッターは、2010年に国内利用者数が1000万人を突破。

それと同時に、ツイッター発の炎上騒ぎも年々増えていきました。当時の連載で扱った「なりすましアカウント問題」などもそのひとつですね。

ツイッターでの炎上がどんどん増えたのには理由があります。そもそも、炎上という現象が生じるには「個人名」が出ていないと始まらないからです。

SNSが流行する前は、個人が発信する場はブログや掲示板サイトがメインで、誰が書いたのかもわからない投稿内容が多かったです。例えば2ちゃんねるにもおかしな人はいましたが、やはり個人名は特定できませんでした。

しかし、ツイッターが登場し、個人が発信しやすいだけでなく「誰が書いたのかがわかる」という状況が生まれ、おかしな行動をした人が特定されやすくなりました。

ツイッターは基本的にテキストでのコミュニケーションなので、投稿ハードルが圧倒的に低い。一日に何十回も発信する人もいますし、そこに「発言者がわかる」という要素が重なることで、炎上の発生確率がグッと高まったわけです。


それに対して、2ちゃんねるは炎上の発生源ではなく、「誰かがやらかした」という話題を広げる「炎上拡散装置」としての役割が大きいのです。

例えば、2010年最大のネット発の事件だった「尖閣諸島のビデオ」が典型的です。

この動画はユーチューブに投稿された後、2ちゃんねるに書き込まれたことで一気に火がつきました。当時はユーチューブにアップしても誰かが見つけなければ埋もれてしまうので、人目につくよう2ちゃんねるに書き込んだわけですね。

また、ツイッターが政治的な工作活動に使われだしたのもこの頃からです。2010年には当時の東京都知事だった石原慎太郎さんを推すコメントを書きまくるアカウントが大量発生し、「工作活動ではないか?」と疑われて炎上騒ぎにもなっています。

なぜこういったことが起きるかといえば、候補者ではなく「誰かが勝手に推すコメントを出している」という体裁にすれば、公職選挙法違反にならないから。現在はこれが動画に置き換わり、候補者以外が動画をアップしても問題にはなりません。

本来の法律の趣旨からすれば公職選挙法違反になりそうな投稿も多々あると思うのですが、実際は「やったもの勝ち」です。そうやって選挙の仕組みをハックしていくのは、2010年頃から始まったような気がします。

動画プラットフォームの進化とともに「バカ投稿主」も増殖する

ツイッター以外にも、この頃からは様々な動画プラットフォームの発展に伴い、動画を発生源にする炎上も増えてきました。

なかにはバカな大学生が「ドブスを守る会」という動画をユーチューブに投稿して炎上するなんて事態も……。これなどは今も同じような炎上を繰り返していますよね。

学生がおかしな行為を自らネットに上げて炎上していますが、そんなことは昔からあるのです。スマホの普及率を考えれば、こうした炎上は今後も変わらずに続いていくでしょう。

２０１０年にはほかにも、ライブ動画配信サービスの先駆けだった「ユーストリーム」で自殺の様子を生中継した投稿が問題になりました。30代以上の人なら、そのサービス名を聞くだけで懐かしさを感じる人もいるかもしれませんね。

当時は一世を風靡したユーストリームですが、２０１６年に運営元の米Ｕｓｔｒｅａｍが ＩＢＭに買収され、２０１７年には「ＩＢＭ Ｃｌｏｕｄ Ｖｉｄｅｏ」というサービスに変わっています。

そのように移り変わりの激しい動画業界ですが、この頃に比べると最近は過激な生配信が減ったように感じる人がいるかもしれません。

でも実は、「単に消されるのが早い」というだけで、どの動画配信プラットフォームでも今なお過激な生配信が行われています。すぐに消えるので気づかれづらいだけです。

なぜ削除されるのが早くなったのか。その理由に、ＡＩ技術の発展を思い浮かべる人も多いでしょう。

たしかにその側面はありますが、実はすべてＡＩが監視して自動削除しているわけではありません。ＡＩがある程度の絞り込みはするものの、どのサービスでも最後はやはり人間の手で止めていると思われます。

というのも、例えばＡＩが勝手に判断をして削除できると、相撲やプロレスの動画までＡＩが「裸の男の人が抱き合っているアダルトな動画」と判断して消してしまう可能性があるからです。これでは逆にトラブルに発展する可能性が出てきます。

ちなみに、動画プラットフォームの黎明期は費用的な問題から深夜帯だと動画を監視する人数が限られていたので、エロ系動画をアップしても朝まで消されないこともありました。

事実、当時のニコニコ動画は「深夜だとエロい生放送が見やすい」なんて状況がわりとあったのです。深夜帯に何百放送も行われているとチェックに時間がかかるので、「10〜20分だったら運営の目を逃れられる」みたいな感じです。

そこから動画プラットフォームが隆盛を極めて儲かったので、人件費をかけやすくなり、監視や削除をするマンパワーが増えた。だから今では危ない動画が目につきにくくなっているのですね。

DLからウイルス感染は時代遅れ？ ネット詐欺の手口にも変化が

また、当時は違法ダウンロードにつけ込み、コンピュータウイルスを仕込んで脅迫する事件も起きていました。これは、Ｗｉｎｎｙなどが流行っていた時代の「違法ダウンロードが簡単にできた」という流れからきていると思われます。

でも、そこから徐々に違法ダウンロードしたソフトやファイルからウイルスに感染する被害はなくなってきました。なぜなら身元がバレやすくなったからです。

例えば、「ロマンシング詐欺」のように、ウイルスを仕込んだアダルトゲームをどこかのサイトに置いたら、ＩＰアドレスからたどれば犯人の所在が簡単にバレます。

加えて、現在はダウンロードではなくストリーミングが主流です。映画ならネットフリックス、ゲームなら「Ｓｔｅａｍ」のようにプラットフォーム上で動作をさせることが前提の時代になり、そもそもダウンロードをする人が減ったのです。

もちろん、何かしらの方法でウイルスを侵入させる詐欺行為は今も行われています。しかも、実は昔よりも簡易化というか、単純な手口になっています。

例えば、メールなどでランサムウェアを送りつけてパソコンやスマホを感染させ、「解除パスワードを教えてやるから仮想通貨を送れ」という詐欺はいまだにはやっています。そもそもソフトウェアに仕込むみたいな複雑なことをしなくても、「メールを送りまくれば誰かが引っかかる」みたいな感じでウイルスは仕込めてしまからです。

そして、詐欺犯からしてみれば、日本語ソフトにウイルスを仕込むといった日本人だけを狙った詐欺をするメリットが少なくなっているような気がします。仮想通貨は世界共通で足もつきにくいわけですから、「世界中にばら撒いて引っかかった人からカネを取る」ほうがよっぽど効率がよいですし。

BACK TO

2011

炎上度

FILE

006

「グルーポン」おせち炎上

2011年
1月発生

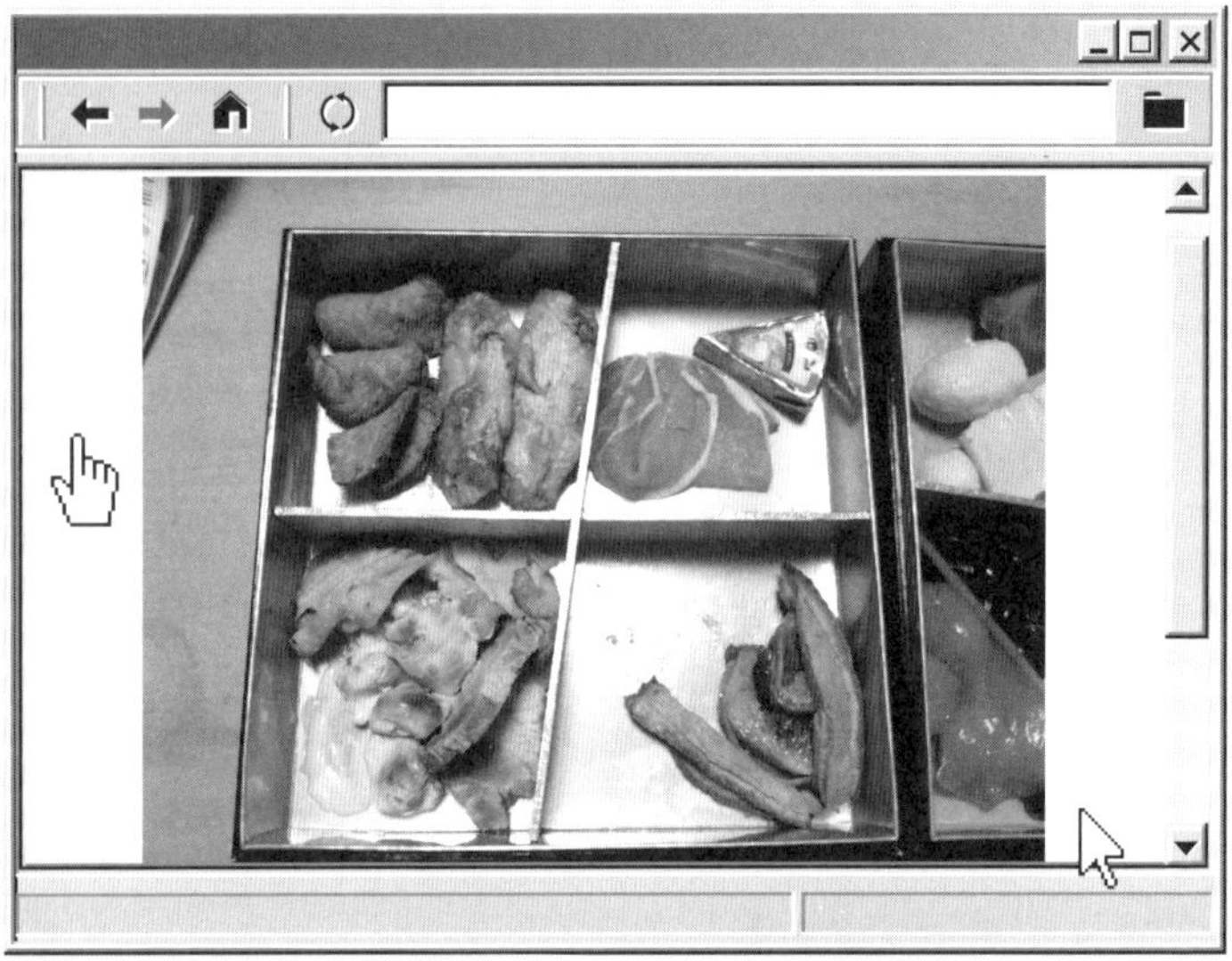

写真はあくまでイメージ？最悪おせちでネット大炎上

2011年の元旦。共同購入サイト「グルーポン」にて、飲食店「バードカフェ」の2万1000円のおせちを半額で購入した利用客から「内容が見本写真とあまりにも違う。腐っている臭いがする」との声がネット上で広まった。この情報にネットユーザーが様々な情報を寄せ集め、おせち製造現場の写真まで出現して大炎上。これを受け、同店の社長は辞任した。（写真は当時のツイッターより）

当時の日記

日本人はお正月に数の子とか食べるわけですけど、日本人って食べ物に対するこだわりが尋常じゃない気がします。例えば、築地市場（当時）の売り上げ規模は世界最大だし、フランスのグルメガイド・ミシュランでも3つ星レストランの数は東京が14店と世界最多です。

また、冷蔵や冷凍の商品を運べるクール便って、実は日本にしかなかったりします。クール便は基本的には食材を運ぶためのものなので、そう考えると食材にそこまでこだわる国民って、日本人ぐらいしかいないっってことだと思うんですよ。

そんな食べ物にうるさい国民が暇をもてあましている時期に、食べ物関連の事件を起こしちゃったのが、グルーポンで販売された「**バードカフェ**」のおせちでした。定価50％OFFという文字と豪華な写真に釣られて注文してみたら、なんとも無残なおせちが送られてきて、なかには正月になっても届かなかったり、腐臭がしたとか、酷いことになっていたみたいです。

さて、今回の騒動が単なるお店の事故って話なら、まぁ騒ぐこともないと思うんですけど、これは**グルーポンビジネス**自体の問題である気がするんですよね。

バードカフェのおせちは半額の1万500０円で販売したそうですが、その売り上げの50％がグルーポンに取られるそうです。つまり、バードカフェは5250円で定価2万1000円分のおせちを作らなければいけないわけです。おせちは手間がかかるので人件費が半分だとすると、食材費で使えるのが2500円ぐらい。2500円で2万円に見える料理なんて、最初から無理な話だったりします。

まぁ、今回は社員が勝手におせちを作ったわけではないところをみると、苦情がこなかったら逃げ切れると社長は考えていたんでしょうね。

ということで、価格設定に無理があることを考えると、グルーポン系サイトでは今後もこういった事件が起こるんじゃないかと。その前に景品表示法違反で消費者行政担当相が動くとかいう説もあります。

（SPA!2011年1月25日号に掲載）

バードカフェ／有志によって投稿されたおせち製造現場の写真は、金髪の若者などが帽子もかぶらず素手で作業を行い、社長が主張する衛生管理とはかけ離れていた

グルーポンビジネス／共同購入者をネット上で募り、募集人員に達した時点で大幅な割引で商品が買える、共同購入型ネットショッピングのこと

炎上度

FILE 007

有名人情報ツイッター晒し問題

2011年1月発生

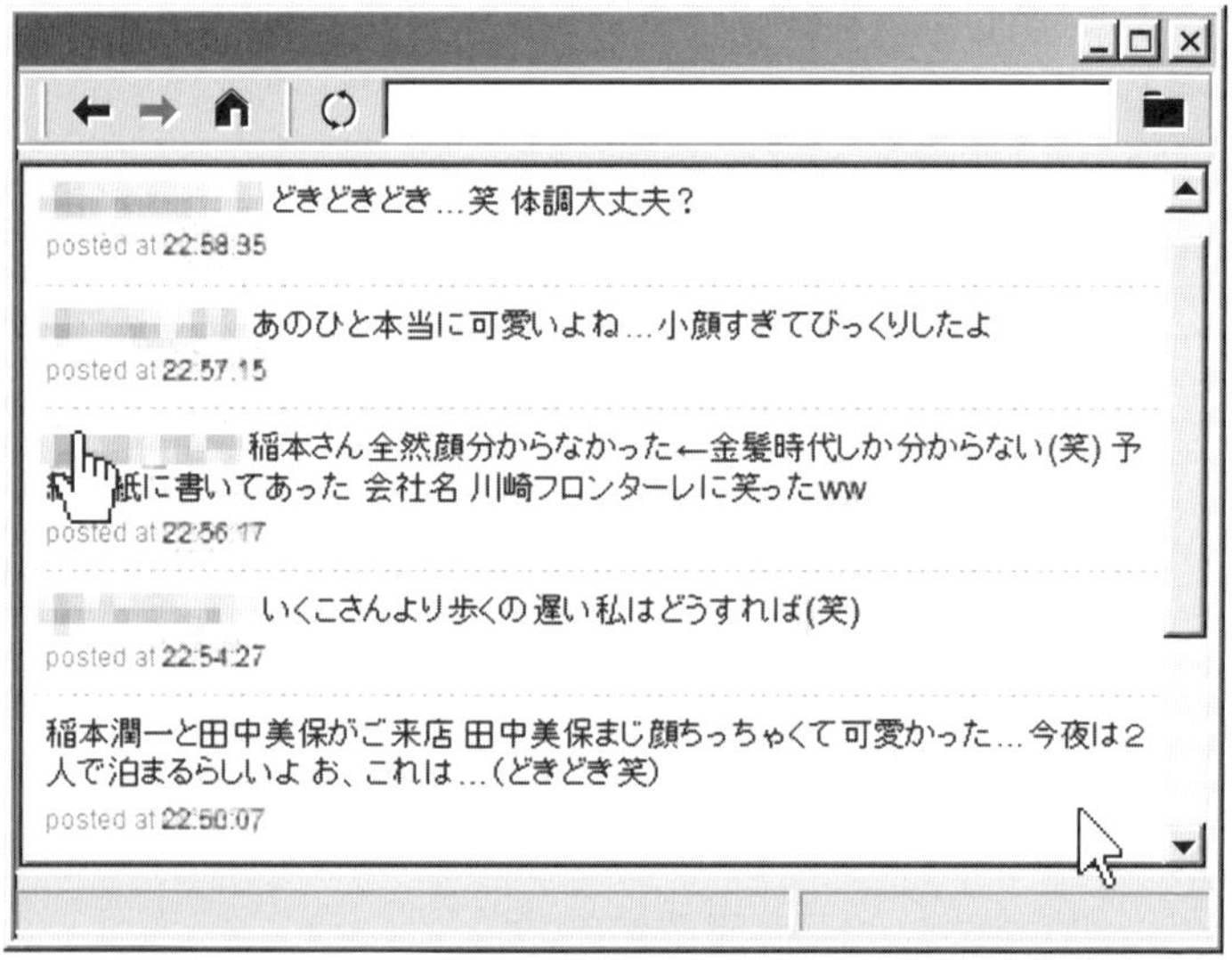
どきどきどき…笑 体調大丈夫？
posted at 22:58:35
あのひと本当に可愛いよね…小顔すぎてびっくりしたよ
posted at 22:57:15
稲本さん全然顔分からなかった←金髪時代しか分からない(笑) 予約紙に書いてあった 会社名 川崎フロンターレに笑ったww
posted at 22:56:17
いくこさんより歩くの遅い私はどうすれば(笑)
posted at 22:54:27
稲本潤一と田中美保がご来店 田中美保まじ顔ちっちゃくて可愛かった…今夜は2人で泊まるらしいよ お、これは…(どきどき笑)
posted at 22:50:07

店員により顧客情報が流出。その数の多さと内容が話題に

「稲本潤一と田中美保がご来店。今夜は2人で泊まるらしい」。都内某有名ホテルのアルバイトがツイッター上にアップした情報によりマスコミが騒然となった。さらにネット上では、このアルバイト店員が過去にホテルへ来訪した著名人情報をことごとくアップしていたことで話題に。その数はあまりに多く、ホテル側は顧客情報流出につきホームページ上で謝罪した。（写真は当時のツイッターより）

当時の日記

昔から、タクシーの運転手とかレストランの店員とか接客業をしている人のなかには、週刊誌に情報を売っている人たちというのがいたそうです。

しかし、近年は出版不況で週刊誌がそんな予算をばら撒くほどの余裕がなかったりする点や、そういった個人情報を他人に漏らすことで快感を覚えたりする人がネットを使いこなしているので、ネット上での著名人目撃報告をたまに見かけることがあります。

まぁ簡単に書くと「○○駅を歩いていたら、タレントの××を見かけた」とか、ツイッターで書いている人とかがいるわけです。昔はミクシィとか2ちゃんねるだったんでしょうけど、ミクシィはクローズだし、2ちゃんねるは真贋の見極めが難しく、ツイッターほどクリティカルな情報ではなかったような気がします。

そんな感じで優越感とともに、**知りえた情報**をばら撒いている人が、「情報をばら撒きすぎだろ」ってことで、炎上していたりします。ちょっと前だと、勝間和代さんがレストランでご飯を食べているところが店員によって報告されたりとかあるわけで、だんだん増えてくる気がしますね。

こういった出来事への対抗策としては、女性の場合は、スッピンで出かけて誰だかわからなくするしかできなかったりします。サングラスと帽子とかだと、怪しすぎて逆に人目を引いてしまうし、声でバレてしまったりするわけです。

著名人さんが街中で発見されないようにするためには、目立つ格好をせず、極力、無口でいるってのが実は一番無難なのかと。しかし、日本有数の高級ホテルでも情報が漏れちゃうわけですから、安全なところなんて、自宅ぐらいかもしれませんね。

ということで、行動が実況されてもいいように、**灰皿にテキーラを入れて飲ませようとしたり**とか、悪いことをしないのが一番の防衛策かもしれません。ただ、ストレスが多い業界人ほどハメを外したがるようですし大変ですね。

（SPA!2011年2月1日号に掲載）

知りえた情報／過去にも「大沢たかおの来訪」「タイガー・ウッズの来訪情報」「レストランのラストオーダー時間にEXILEが来店」など、週刊誌顔負けの暴露ぶりだった

灰皿にテキーラを入れて飲ませようとしたり／掲載当時の「市川海老蔵暴行事件」で有名になった行為。宴会芸の一種にもなった

炎上度

FILE 008

ペニーオークション詐欺疑惑

2011年2月発生

奇妙な落札が頻発するオークションに疑惑の目

「高額商品を格安で!」。そんな謳い文句で拡大を続けていたペニーオークションに疑惑が浮上。落札が難しいと言われているなか、芸能人が次々と商品を落札し、その様子をブログに掲載。また、定価3750円の商品に6万705円の入札が発生したことから、「システム操作による落札価格のつり上げ行為があったのではないか」と疑惑の声が上がっていた。（写真は当時の「DMMポイントオークション」より）

当時の日記

最近のIT業界で、〝はやっているけどちょっとアレなビジネスモデル〟といえば、新年早々おせちのトラブルにより世間にその全容を知られてしまったグルーポン系と、「無料ゲームです！」と大々的に言いながらゲーム内で有料アイテムを売っているソシャゲ。それと、「格安で落札できる！」という謳い文句なのに、入札するのにお金がかかるうえに落札できないペニーオークションの3つがあったりします。

そして、そのペニーオークションでのトラブルが多いという苦情が殺到。消費者庁が動きだして、大手と言われる「GEOオークション」をはじめ、各社のペニーオークションサイトが閉鎖しつつあります。ペニーオークションで一般利用者が落札できないようにするシステムのログが流出したりもしていました。そんななか、「最後の荒稼ぎをしよう！」と動いて失敗したのか、またもやトラブルが発生しています。

そもそもペニーオークションで問題になっているのは、安い価格で落札できるように見せかけて、実際は落札できない仕様だからです。しかし、なぜかアメーバブログを利用している芸能人は、やたらとペニーオークションを使って商品を安く落札しています。

そして、芸能人が利用したペニーオークションのサイトには偏りがあり、ほとんど同じ会社が運営していたりするんです。

普通の人が落札できなくてトラブルが多発しているのに、アメーバブログを利用していて特定のペニーオークションを使っている芸能人の方々だけが簡単に落札できているのは、なんとも不思議ですよね。

アメーバブログの運営元であるサイバーエージェントは、「今回の件は、弊社としては一切関与していない」と言っているそうです。タレントブログプロモーションを商品にしている会社にサイバーエージェントが出資していて、サイバーエージェントが運営しているアメーバブログでこの事態になっているわけですけど、関与はしてないそうです。ふ〜ん。

（SPA!2011年2月15日号に掲載）

炎上度

FILE 009

反原発ソング拡散騒動

2011年4月発生

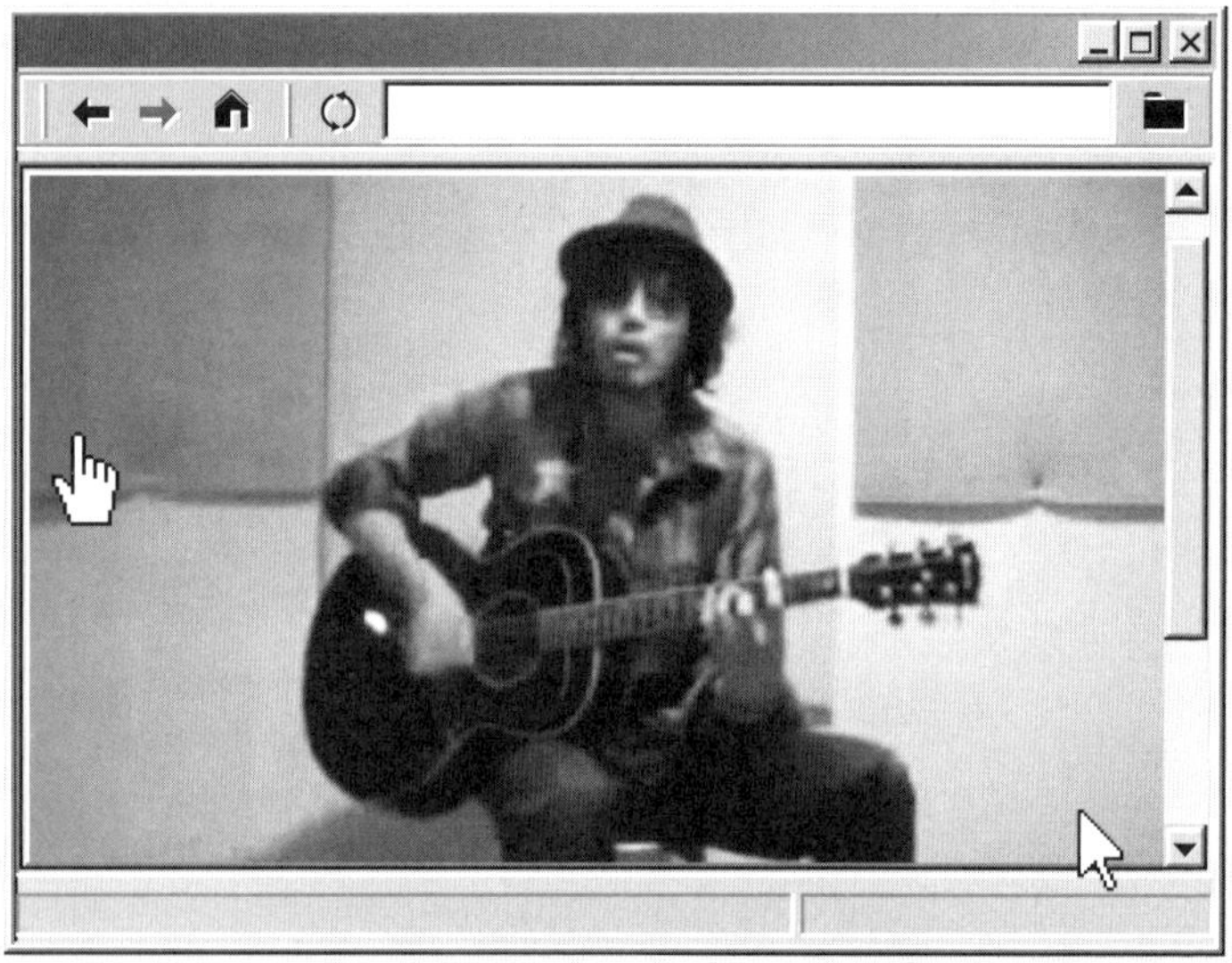

人気歌手の原発批判ソング、ネット中にコピーが出回る

歌手の斉藤和義が自身の楽曲「ずっと好きだった」の歌詞を、原子力政策を痛烈に批判する内容に変更して歌っている姿がユーチューブ上に掲載され、話題となった。この動画はアップしたユーザーにより削除されたが、コピーがネット中に拡散。権利問題から所属レーベルが削除依頼をするも、他ユーザーにより再度アップされるなどイタチごっこが続いていた。(画像は当時の動画より)

当時の日記

またもやアメリカに来ているひろゆきです。

震災の影響によって、日本のテレビでは芸能人が「がんばれ！」とか言ってる姿を見かけるわけですが、それをのんきにテレビで観ている大多数の人は被災者ではなかったりします。その被災者ではない人たちが**テレビ番組やCMやらにクレーム**を入れているようで、みんなストレス発散の捌け口を探しているような感じがしています。

そんな折に、歌手の斉藤和義さんが、「ずっとウソだった」という原発やら昨今の状況を批判する歌を歌っている動画をユーチューブにアップ。所属レーベルのビクターが削除依頼をしていますが、斉藤和義さん本人はユーストリームに出演したときもこの歌を披露しているので、ビクターがなぜ削除依頼しているのかよくわからないような状況になっていました。

「何かをしなきゃ」という焦燥感を持つアーティストと、「勝手なことをされると困る」という所属レーベル側の齟齬なわけですが、山本太郎さんも「（原発に）反対って言うと、芸能界で仕事干されるんです」と言っていましたし、今後も所属会社とアーティストの意向が噛み合わないことが増えてきそうです。

そして、今回の斉藤さんの件に関しては世間的に「ビクターは心が狭い」みたいな反応になっているようですが、今までの契約関係では想定していなかった事態が起きてしまっているのは事実です。

アーティストと契約をして、権利を守って音楽を販売し、対価としてアーティストにお金を払っているのが所属レーベルなわけです。つまり、契約がある限り所属レーベルはアーティストの権利を保護する方向で動かないといけない。

だから、どうせやるならアーティストからレーベルに「これは削除しなくていいよ」と言ってあげたほうがいいと思います。

ということで、権利保護を会社に任せておきながら会社が叩かれるようなことをするのは、会社がちょっとかわいそうな気がしました。

（SPA！2011年4月26日号に掲載）

テレビ番組やCMやらにクレーム／震災発生後にアニメを放送したテレビ東京に600件の抗議が殺到。ACのCMでも抗議が集まるものがあった

ユーストリームに出演した／2011年4月8日の生放送に出演した斉藤氏が、問題となった替え歌を披露したことでアクセスが集中。回線がパンクする事態に

炎上度

FILE 010

「食べログ」クチコミ操作疑惑

2011年11月発生

代理店がクチコミ操作を助長。食べログの評価に疑問の声

「食べログ」の営業代理店を名乗る人物が、飲食店に対して「有料で評判を良くし、悪いクチコミを排除できる」などとやらせ勧誘を行ったことが暴露され話題になった。報道によれば、同サイトは代理店がやらせ勧誘をしないよう徹底しているとのことだが、ネット上ではクチコミサイトに対して不信感が高まることに。(写真は当時の「食べログ」より)

当時の日記

その昔、インターネット上のサイトは個人が作るのが当たり前で、いろんなジャンルの小さいクチコミサイトがありました。

ただ、最近は大手企業が運営するものばかりになっています。そうやって企業がサイト運営することになると利益を出す必要が出てきます。すると、「クチコミでどうやって利益を出すか?」が主眼になり、「ユーザーからお金を取れないならば、お店側からお金を取る」という方向になってきたりします。

すると、サイトにとってのお客さんはお店で、ユーザーの利便性というのは二の次になります。結果、人気のないお店がお金を支払うことで、サイト上で人気があるように見せる作業をするわけです。まぁ、クチコミを売りにしてこれをやるのはどうかと思いますが、サイト側も仕事だから仕方ない感じもします。

ということで、食べログの代理店を名乗る人物からの**勧誘電話**を暴露するお店が出てきて、このお店は「当店は実力で頑張ります」などと、やらせ批判を書いています。ちなみに、今回の件に関して食べログ側は「代理店には有料で評価を上げる営業をしないよう指導をしている」と主張していて、真相は藪の中です。

ただ、そもそもネット上のクチコミサイトは知人に頼んでやらせ的に良い評判を書いてもらえたりするので、嘘がないサイトを作るのは最初から無理なんじゃないかとも思っています。

では、やらせのあるクチコミサイトからユーザーが離れるのか? 対抗サイトが出てくれば可能性はありますが、同じレベルの規模でサイト運営の費用も考えると、結局はどのサイトも同じような状況になるんじゃないかと思うわけです。

これは証券会社が一般向けに発表する情報とかとも一緒で、証券会社のメリットのためであって、一般人が得するためではなかったりします。同じことが金儲けのためにやっているサイトにも言えるわけです。そこらへんを念頭に置きつつ、クチコミサイトを使っていくしかないですね。

(SPA!2011年12月13日号に掲載)

勧誘電話/「お宅のお店さんに伺ってクチコミを書かせてもらいますから、結果、ポイントも上がり、順位を上げることも可能ですよ」、「よいクチコミを、ページの目立つところに配置し、悪いクチコミを目立たない場所へと置き換えることもできます」というもの。この内容を飲食店が掲載したところ、食べログ側から事実無根だと抗議の電話があり削除を告げられたという

現在のひろゆきが振り返る2011年

問われる消費者のリテラシー。斬新なサービスが次々に炎上騒ぎ

2011年は年始から炎上騒ぎが発生。共同購入サービス「グルーポン」で販売されていたおせちの内容があまりに酷く、その製造過程も話題になって大炎上しました。騒動によってグルーポン自体が問題視されたのですが、実際には「グルーポンが悪い」というよりも、「おせちを出しているお店が悪い」というケースです。

それなのに悪印象が大きかったのか、日本ではグルーポンをはじめとする共同購入サービスは徐々に下火になり、2020年にグルーポンは日本での活動を終了。現在も共同購入サービスで残っているのは、目立つところだとGMOが運営する「くまポン」くらいです。

ただ、共同購入自体はシステムとして別に悪いものではありません。

グルーポンはもともと海外の会社でアメリカでは上場しているし、今も世界中で展開され

ているサービスです。僕もフランスのグルーポンで映画のチケットを安く買った記憶があります。

問題は、グルーポンの仕組みを利用して「豪華なおせちの写真でしょぼいものを送る」という詐欺的行為をした加盟店です。グルーポンに問題があるわけではありません。

いつの時代もですが、新しいサービスが出てくると、それを利用して悪いことをしようとする狡猾な人が出てきます。だから本来なら悪意を抱く加盟店には使えないようにし、期待と実物とのズレが生じないタイプの商品に特化すべきだと思います。

例えば、映画のチケットなどは詐欺のしようがない商品です。そういう措置が行われず、便利なサービスが日本からなくなってしまうのはもったいないと言わざるを得ません。

ステマが横行するのは法律上、仕方がない？

ペニーオークションに疑惑の目が向けられたのもこの年です。さらに2012年に入ると実際に詐欺事件に発展しました。

そもそもペニーオークションとは、入札するごとに入札者が手数料を支払うという仕組みですが、出品者側が価格を高額につり上げ、「最終的に買わせない状態」にして入札時の手数料だけ取るという詐欺が起こりました。さらに出品者側が芸能人に「こんなに安くブランド品が買えた！」などとステルスマーケティングをさせていたのですね。

ネットオークションでの価格のつり上げ自体は、いまだに「ヤフオク！」などでも行われています。しかし、ペニオクの場合は「芸能人がたまたまやったら儲けました」みたいなステマが絡んでいたので、よけい火に油を注いだのですね。

その結果、この頃から「ステマは悪だ」という風潮が定着しました。

とはいえ、ペニーオークションはなくなったものの、インスタグラムを筆頭としたSNSを使って芸能人やモデルを利用したステマが横行している事実は今も変わりません。テレビ番組に出演している芸能人に洋服を貸すのだって、厳密に言えばステマです。

このようにステマが横行するのは、法律上では問題がないからです。宣伝の場合はその旨を「PRマーク」などで表示するパターンが多くなってきていますが、これは法的な縛りからではなく広告代理店業界が自主的に作成した規約です。

法律上での問題がない以上、ステマは今後も生き残り続けるでしょう。消費者としては「世の中はそこらじゅうステマだらけ」と認識することが、唯一の騙されない方法です。

東日本大震災の発生と堀江貴文氏の実刑判決

2011年は東日本大震災が起きた年でもあります。

当時はネット上も震災の話題一色。そのなかで幸か不幸か、「災害時にはネットや携帯電話の回線のほうが便利」という認識も広まりました。

緊急性があるということでNHK番組がネット視聴できたり、電話が繋がらないので安否確認用としてツイッターが注目されたりしたのを覚えている人も多いでしょう。

これは、通信が途切れがちでも受け手側がコンテンツを得られる「パケット通信」の恩恵によるものです。

総務省調査の「東日本大震災時の通信規制率」によれば、災害時に大手3キャリアの音声通信（電話）は、最大70～95％が制限されましたが、パケット通信はドコモが一時的に30％の規制をしたものの、auとソフトバンクは規制をしなかったそうです。

また、停電でテレビが観られなかったり、自主規制によって放送内容が偏っていたこともあり、エンタメツールとしてのネット需要も急増しました。ここからエンタメとしてのスマホの有用性が増した気がします。

一方で、いまだにネット上では誤解も見られます。「被災者が難を逃れて家族にＬＩＮＥを送ったけど、既読にならなかった」といった震災エピソードがまるで真実のように流布されていますが、これはただのデマです。実は日本でＬＩＮＥがサービスを開始したのは２０１１年の６月で、震災発生後のことです。

また、当時はネット上でも「反原発」の機運が高まり、ミュージシャンによる「反原発ソング」の動画が拡散されたり、まだタレントだった山本太郎さんが「原発に反対って言うと芸能界で干されるんです」とＳＮＳに書き込んで話題になったりしていました。都内では電力不足による輪番停電とかもあったのですが、それでも「原発を元に戻そう」という世論はほぼなかったと思います。

一方、２０２３年現在はどうでしょうか。ロシアのウクライナ侵攻による燃料価格高騰が明るみになり、原発の再稼働案が出てきても昔ほど反対派の声がない。

それは、電気代の高騰を庶民が痛感しているからだと思います。当時は１ドル75円で、海外からエネルギーを安く輸入できていました。でも2022年には一時1ドル150円に到達。ロシアのウクライナ侵攻だけでなく為替の影響もモロに受け、電気代は過去最高レベルに高くなっています。

こうやって電気代という〝身に染みるカタチ〟で可視化されたので、「原発を再稼働させるのも仕方がない」と思う人が増えたのだと思います。人の意見も、結局は背に腹は変えられなくなると、コロコロ変わるのです。

そして、この年はライブドア事件で堀江貴文さんに実刑判決が下され、収監された年でもあります。収監日には今までに見たことがないほどのマスコミが集まり、ネットだけでなくリアルでも話題になりました。

この事件をきっかけに野心を持つIT系の若い人たちが減ってしまったのが残念でなりません。もちろん、今でも起業を目指す人はいますが、結局は「お金儲けをして終わり」という人がほとんど。テレビ局やプロ野球球団を買うといった「社会を変えよう」という大きなことをやる人は出てきていない気がするのです。

堀江さんの逮捕は、日本では大企業が大企業のまま温存され、若い人たちが頑張らないという構造を決定づけた事件でした。

若い人がそれなりに頑張っても、称賛ではなく「邪魔だからつぶす」という文化が日本にはあるような気がします。必然的に若い人は「頑張らないほうがいい」「目立たないほうがいい」という意識になってしまう。

もし、堀江さんが逮捕されなかったら、「俺もやる!」という後続が出てきて、もうちょっと日本は変わっていたと思います。ベンチャーで成功した若い人が有名企業を買い、シナジーで伸ばす、みたいな事例がドンドン出ていたと思うのです。

本当に日本を変えたいなら出る杭を打ってはいけません。今の日本の状況は、口では変えたいと言いつつも、「自分たちにデメリットがない状態で」という隠れた枕詞があるような気がしてならない。つまり、本気で変えたいとは思っていない気がします。

それでは結局、日本を諦めた優秀な若い人は海外に行ってしまい、さらに日本の状況は厳しくなる一方です。

BACK TO

2012

炎上度

FILE 011

金子勇氏とWinny裁判

2012年
1月発生

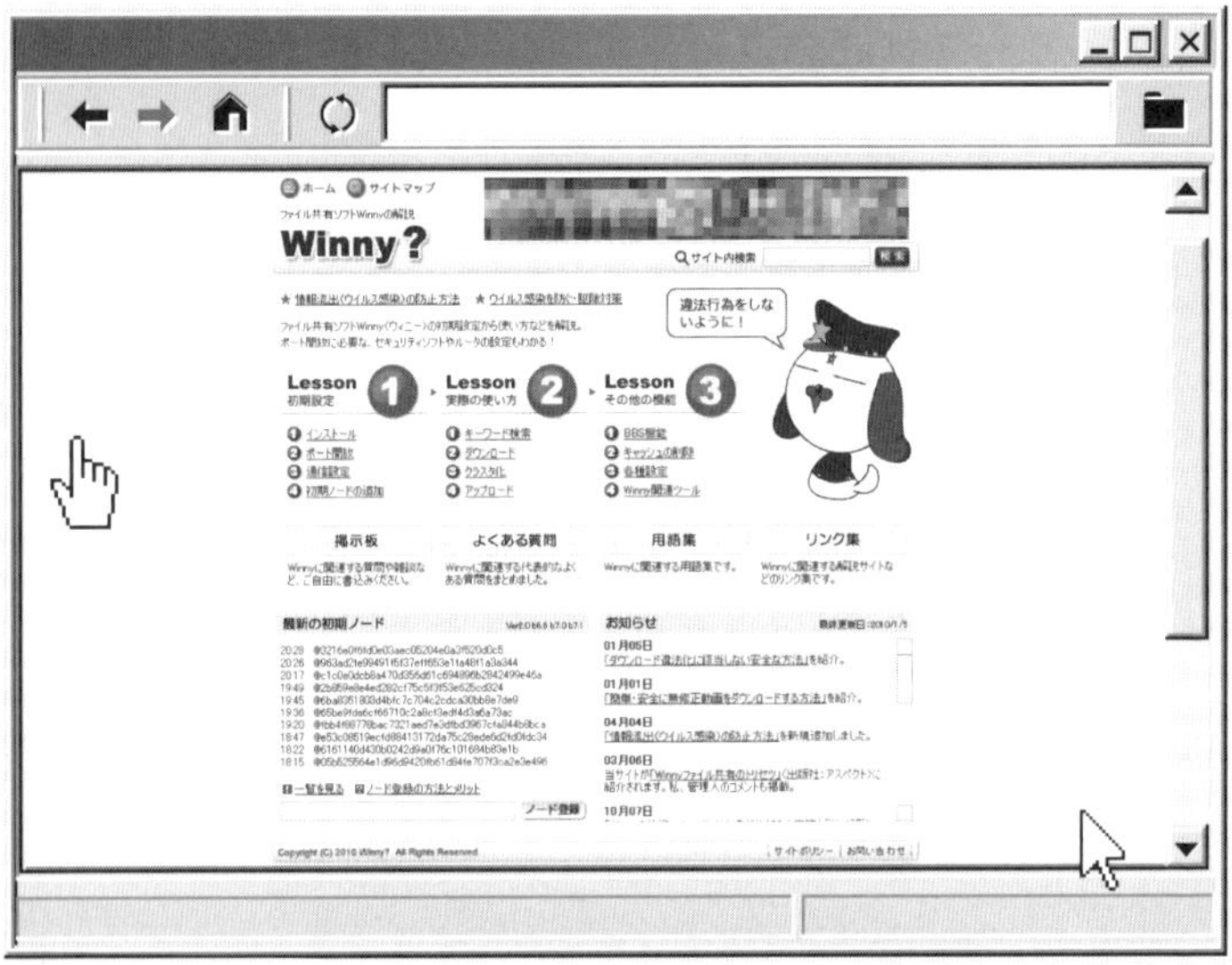

Winny裁判、無罪で決着！ 技術革新停滞に非難の声も

ファイル交換ソフト「Winny」を開発・公開し、著作権法違反ほう助の罪に問われた元東大助手、金子勇被告の上告審が2011年12月20日に開かれ、最高裁は検察側上告を棄却。金子氏の無罪が確定した。2012年に入ってからは、この結果にネット上では祝福の声や技術開発を止めた国家機関への非難の声が高まることに。金子勇氏は2013年7月に急性心筋梗塞のため死去。42歳の若さだった。（写真は当時の解説サイトより）

当時の日記

年が明けましたが、世の中の見通しはあまりよくないですね。中東や北朝鮮の社会システムの変化とか、ギリシャ、スペインなどEUの債務で引き続き問題が起こりそうな気配です。一方、日本社会はどうでもいいところで足を引っ張りあっている状況なので、早くなんとかしないと先の見通しが暗くなるばかりな気がします。

ということで、今回は2011年末に著作権法違反ほう助罪に問われていたWinny開発者の無罪が確定したことについて書いてみます。

Winnyの開発が止まったことで表向きには、ウイルスによる情報流出が多発するという弊害が起きました。これはWinny側の開発を止めず事前にウイルス対策ができていれば、こういった社会的損失は起こらなかったと思うのですね。しかし、見えない部分の弊害はもっと話が大きくて、日本国内でP2Pが違法なものというイメージがつき、P2Pを使った技術の進歩が日本だけ止まってしまったのです。

当時のWinnyは、中央サーバをまったく使わないで現実的な転送速度とファイル流通を確保するという世界的にもトップレベルの技術でした。ちなみに海外で**「Kazaa」**というファイル共有ソフトを作った人たちは、その技術を音声転送に使ってSkypeを作り、いまや携帯電話にも入るようなソフトとして世界中で使われ、最終的に85億ドルでマイクロソフトに買収されています。

技術的にはWinnyのほうが進んでいたのですが、Kazaaの人たちは自分たちの技術を育てることができた。そしてSkypeなど新しい展開に繋げることで、その価値を高め社会に還元していったわけです。

こんな感じで、本来、技術的に日本のほうが進んでいて開発さえ止めなければ日本でいいものが作れて国益になったはずなのに、開発を止めたことで海外勢に追い越されるだけでなく、仕事まで持っていかれちゃったわけなのですよ。グローバル化している昨今、この事態を日本政府はどう感じているんですかねぇ。

（SPA!2012年1月24日号に掲載）

「Kazaa」／2000年にニコラス・センストロムとヤヌス・フリスによりタリン（エストニア）で開発されたP2Pファイル共有ソフト。アムステルダムを拠点に創業したが2001年にオランダの著作権団体との裁判で敗訴。その後、資産は「シャーマン・ネットワークス」に売却され、「KaZaA Lite」として配布・運営

炎上度

FILE 012

橋下徹大阪市長 ブチ切れ会見

2012年
5月発生

勉強不足の記者に橋下氏が激怒。記者の捨て台詞が大炎上に

2012年5月8日、橋下徹大阪市長(当時)が囲み取材でブチ切れる事態が発生。MBS(毎日放送)の女性記者の質問に対して、橋下氏は逆質問。しかし、女性記者は質問に答えないどころか逆ギレ状態で橋下氏を質問攻めにし、最後に捨て台詞まで。この一部始終がユーチューブにアップされると、「記者はレベルが低い」とネット上で大炎上。MBSの批判にまで発展した。(写真は当時の動画より)

当時の日記

相変わらず話題の橋下徹市長ですが、囲み取材の際のMBSの女性記者のインタビュー内容が酷いということで、ネット上で話題になっているようです。ちなみにテレビなどでは、あまり話題になっていないようでもあります。

市政担当の記者ではなく、レポーター的な記者をMBSが送り込んできたみたいなのですが、基礎的な知識もないまま橋下市長に質問をしてブチ切れられてしまいました。さらに切り返されたときに返答に窮して、わけのわからない質問を繰り返し、最後に捨て台詞を吐くという大技をやってのけたみたいです。「EUからギリシャが離脱するかもしれないが世界経済はどうなるの?」という一大事に、「入学式に先生が国歌を歌うかどうか?」で揉めているのが、日本らしいといえば日本らしいのですが……。

そして、最後に「まあ、これぐらいにしときますけども」と捨て台詞を吐いたMBSの女性記者なんですが、なんでこんなに執拗に食い下がるのかなぁ……と思っていたら、橋下市長が大阪市長選で破った**平松前大阪市長**って、MBSのアナウンサーだったんですね。

自分の会社の先輩が市長だったりすると、メディアとしてはなにかと有利なことがあるわけです。これを踏まえて邪推すると、記者会見の動画を大阪市自らユーチューブにアップされると、会見を放送するテレビ局とかはメディアとしての存在感が薄れてしまうので、MBSの記者としては「橋下市長が憎くてたまらない」という思いが根底にあるような気も……。ちなみに動画は30分ぐらいあって会見の一部始終がみられるので、興味がある人は観てください。

この会見がMBSの番組ではどう扱われたのかというと、橋下市長のツイッターによれば、やっぱりMBSに**都合よく編集**されていたみたいです。今はまだネットから情報を得ない人も多いですけど、ネットから情報を得る人の数が増えたときに都合のいい編集をして放送したりすると、あとあと損をする可能性もあるので得策ではない気がしますけど。

(SPA!2012年5月29日号に掲載)

平松前大阪市長／平松邦夫氏。2007年に民主党推薦の無所属で大阪市長選挙に出馬し当選するも、次の大阪市長選挙で橋下徹氏に惨敗した

都合よく編集／当時、橋下市長はツイッターで「MBSのボイスではやり取りは全てカットされて、僕だけが頭のおかしい市長のように放映。これがテレビ。」と書いていた

炎上度

FILE 013

違法DL《ダウンロード》の刑事罰化スタート

2012年
6月発生

English
文化庁
AGENCY FOR CULTURAL AFFAIRS
長官のサイト
文化庁案内図
Q&A
著作権
HOME > 著作権 > 著作権制度に関する情報 > 著作権制度の解説資料 > 最近の法改正について > 平成24年通常国会　著作権法改正等について
平成24年通常国会　著作権法改正等について
1. はじめに
「著作権法の一部を改正する法律」が，第180回通常国会において，平成24年6月20日に成立し，同年6月27日に平成24年法律第43号として公布されました。本法律は，一部の規定を除いて，平成25年1月1日に施行されることとなっています。
改正法の概要及び条文は，以下のとおりです（青字の部分にカーソルを合わせてクリックすると，内容を見ることができます）。
著作権法の一部を改正する法律　概要（PDF形式(1.91MB)）
著作権法の一部を改正する法律　条文（PDF形式(124KB)）
著作権法の一部を改正する法律　新旧対照表（PDF形式(160KB)）
また，改正後の著作権法は，e-govに掲載されています。
（http://law.e-gov.go.jp/cgi-bin/idxsearch.cgi）
以下，改正法の趣旨及び内容の概要についてご紹介します。

違法DLの基準があやふや？
文化庁見解にネット民が混乱

2012年6月に著作権法改正案が成立したことによって違法DLの刑事罰化（2年以下の懲役または200万円以下の罰金）が決まった。しかし、その内容を説明する文化庁の資料でネット民が大混乱。「メール添付された海賊版の映画・音楽をコピーしても違法ではない」といった記載があり、「何が違法なの？」などの声が。違法DLを巡る法律はその後も適用範囲の拡大を続けている。（写真は当時の文化庁ホームページより）

当時の日記

音楽業界はいまだに「音楽CDが売れず不景気になっているのはインターネットのせいだ」と思っているみたいですね。インターネットの違法ダウンロード（DL）の規制法案を通すだけでなく、この度、刑事罰化にも成功しました。

今までは違法なDLをしても逮捕されなかったんですが、今後はCDやDVDを違法にDLすると逮捕されるわけです。

ただ、「違法DLが刑事罰化」といわれていますが、正確には、「違法な録音や録画のDL刑事罰化」です。なので、録音や録画ではないDLは刑事罰化されていません。具体的にいうと、ネット上に違法にアップロードされたマイクロソフトのOfficeをDLしたとしても、「録音や録画ではない」ってことで捕まらなかったりします。あくまで有料で売っているCDやDVDをDLしたときに捕まるだけです。

では、「なんで録音、録画に限定したのか？」という話になりますが、それは実務面で面倒だからなのではないかと思うのです。例えば、「僕の書いた文章が検索エンジンで表示されているのでグーグルを捜査してください」とか言われたら、警察はいちいち捜査しなきゃいけなくなります。グーグルなどの検索エンジンが著作者の許可なしに勝手に情報を拾い上げて表示するので、ネットシステムの定義ではそれを閲覧するのもDLとなるからです。

それに加えて、音楽業界は刑事罰化することで、「違法DLの調査コストを自社ではなく、警察による税金で賄いたい」という思惑があるのかと思ったり……。違法DL法案で売り上げが伸びるかは微妙でも、違法DLするユーザーを調査する支出は減りますから。

さて、この法案を**文化庁が解説**したら、世間が混乱しちゃったみたいです。まぁ、今回みたいにいろんな思惑が絡むと、物事がシンプルじゃなくなるのはよくあることだと思いますが、具体的にどのような行為が刑事罰にあたるのかは、そこまで重要じゃないってことなんでしょうねぇ……きっと。

（SPA！2012年8月7日号に掲載）

文化庁が解説／当時の文化庁のQ&Aによれば、「友達から送られたメールについている海賊版の音楽や映画を自分のパソコンにコピーすると刑事罰の対象となるのですか?」との問いに、「ダウンロードにならないので、刑罰の対象にならない」との回答。また、「無料でテレビ放送されたものをDLしても刑事罰の対象にならない」とあり、基準がわからなくなる人が続出した

炎上度

FILE 014

楽天「kobo Touch」不具合で炎上

2012年
7月発生

電子書籍端末で日本語表示不可。楽天koboの不具合で炎上

2012年、鳴り物入りで電子書籍に参入したのが楽天の「kobo Touch」だった。しかし、7月の発売直後から「充電できない」「日本語が認識できない」など多くの不具合が発生。結果、楽天の直販サイトのレビュー欄に批判が殺到し炎上することに。さらに楽天がレビューを非表示にしたことで、炎上はネット中に飛び火していった。（写真は当時の販売ページより）

当時の日記

最近は、円高ということもあって、海外のモノを安く買うのが個人の間でも企業の間でもはやってますよね。5月には丸紅が米穀物大手「ガビロン社」を買収して、穀物流通量が世界トップレベルになったりしました。

というわけで、楽天がカナダの電子ブックメーカー「kobo」を買収し端末をリリースしたわけですが、不具合だらけで低評価レビューを書かれまくったあげく、そのレビューが全部削除されたそうです。

この件で役員がインタビューでひたすら謝っていましたが、そもそもこれって発売前に社内で気づくべき問題ですよね。日本語が表示されないとか3分も触ればわかるのに、そのまま端末を出荷しちゃった。

そこからどういう社内体制か想像がついちゃいますよね。よほどのバカが集まっているとかでなければ、発売前に社内で「koboはヤバい」と伝わって、ゲーム業界でよくあるように、決定権のある人が発売延期とかの決断をするわけですし。

これは想像ですが、「ヤバさを理解している現場が、決定権のある人に情報を伝えず誤った判断をさせた」か、「決定権のある人がよほどのバカで問題にはならないと感じたか」のどちらかが発生したのではないかと思うわけですよ。

正しい情報を正しい判断力のある人に伝えて、正しい判断を下してもらうという、普通の会社なら当たり前のことが、上場会社なのにできていないってのが露呈しちゃった。そこから、「会社が急成長しすぎて、人材不足なのかなぁ」とか、「英語は喋れるけど仕事はできない人ばかり出世しちゃったのかなぁ」とか、よくない想像ばかり広がっちゃうんですよね。

そんなこんなで優秀な人材の不足なのか事業拡大のためかはわからないですが、koboでは人を募集し始めたんですけど、**その募集要項も微妙な内容**で、これで応募をする人は賢くない感じがします。

というわけで、今後のkoboは何か特別なことをしない限り低空飛行を続けるんじゃないかな……と。

（SPA!2012年8月14日号に掲載）

その募集要項も微妙な内容／発売直後に出現した求人の掲載文は「カナダのkoboチームと時折コミュニケーションを行い、グローバルなベストプラクティスを実践していただくグローバルなオポチュニティです」というもの。それに対し、ネット上では「ルー大柴の言葉か!」との声もあり、さらに炎上を加速させる要因になった

炎上度

FILE 015

2012年10月発生

パソコン遠隔操作事件①

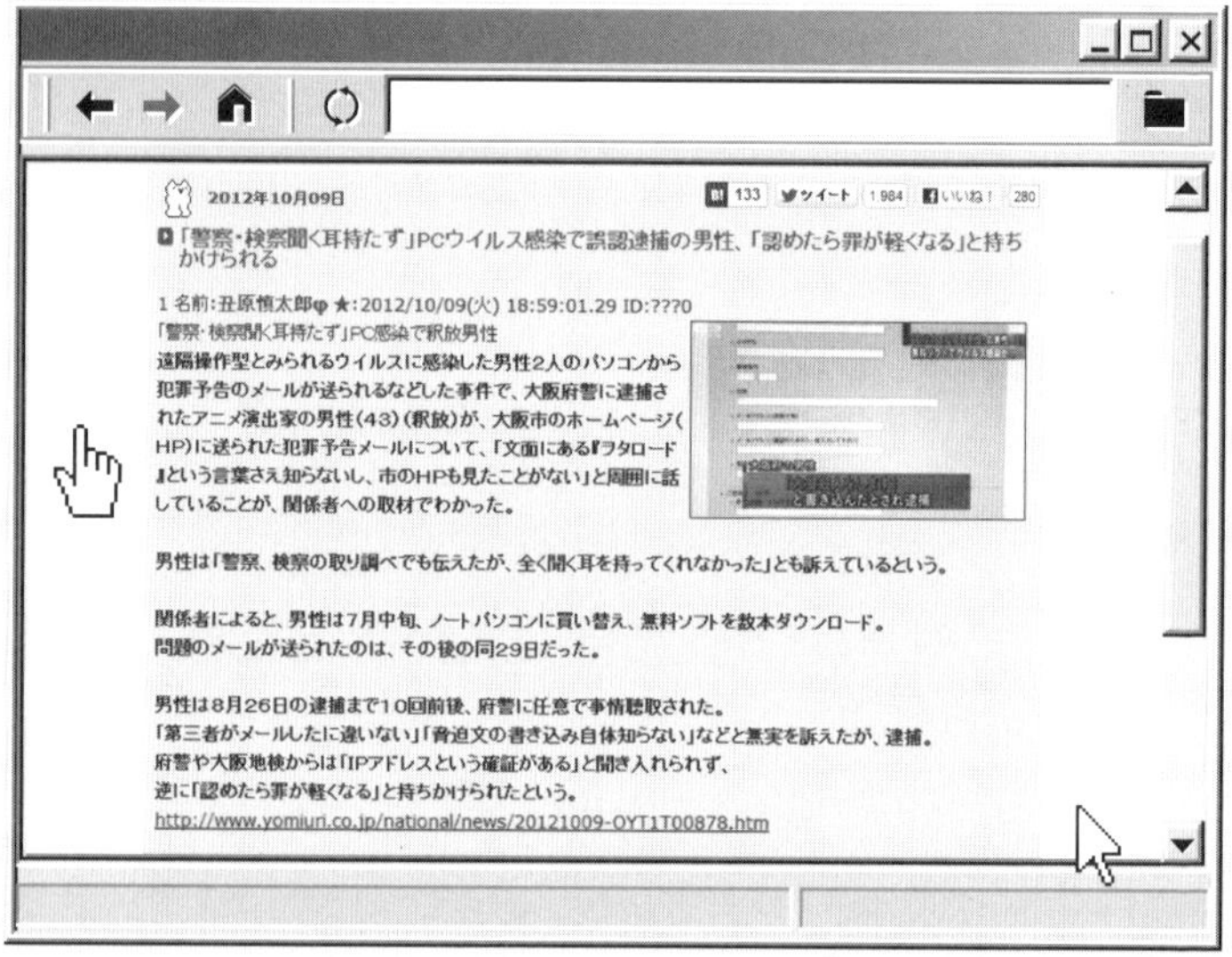
2012年10月09日

「警察・検察聞く耳持たず」PCウイルス感染で誤認逮捕の男性、「認めたら罪が軽くなる」と持ちかけられる

1 名前:丑原慎太郎φ ★:2012/10/09(火) 18:59:01.29 ID:???0
「警察・検察聞く耳持たず」PC感染で釈放男性
遠隔操作型とみられるウイルスに感染した男性2人のパソコンから犯罪予告のメールが送られるなどした事件で、大阪府警に逮捕されたアニメ演出家の男性(43)(釈放)が、大阪市のホームページ(HP)に送られた犯罪予告メールについて、「文面にある『ヲタロード』という言葉さえ知らないし、市のHPも見たことがない」と周囲に話していることが、関係者への取材でわかった。

男性は「警察、検察の取り調べでも伝えたが、全く聞く耳を持ってくれなかった」とも訴えているという。


関係者によると、男性は7月中旬、ノートパソコンに買い替え、無料ソフトを数本ダウンロード。

問題のメールが送られたのは、その後の同29日だった。


男性は8月26日の逮捕まで10回前後、府警に任意で事情聴取された。

「第三者がメールしたに違いない」「脅迫文の書き込み自体知らない」などと無実を訴えたが、逮捕。

府警や大阪地検からは「IPアドレスという確証がある」と聞き入れられず、
逆に「認めたら罪が軽くなる」と持ちかけられたという。

http://www.yomiuri.co.jp/national/news/20121009-OYT1T00878.htm

誤認逮捕なのに自白強要？
知識不足の捜査に非難の声

2012年夏、遠隔操作型ウイルスに感染したPCから犯罪予告のメールが送られ、大阪府の男性など4人が逮捕された。日本の犯罪史上に残る「パソコン遠隔操作事件」の始まりだ。のちに警察は誤認逮捕だったと発表したが、当時、大阪府警や大阪地検は「IPアドレスという確証がある。認めたら罪が軽くなる」と自白を強要。ネット上では「IPアドレスで犯人特定できたら警察いらんわ」など非難の声が。(写真は当時のまとめサイトより)

当時の日記

昨今は攻略サイトを見ながらゲームをやる人も多いですが、最近は誰が作ったのかわからない攻略ツールも増えていますね。

というわけで、誰が作ったのかわからないネット上のソフトをインストールしたら、ウイルスに感染しちゃったというありがちな話です。しかも、遠隔ソフトで犯行予告されて無実の人が逮捕されて、大阪府警や大阪地検から「**IPアドレス**という確証がある」なんて言われたうえに、自白を強要されたとか……。

でも、ウェブサービスをやっている運営元が警察にIPを出すときって、結構適当なんですよ。というのも、いちいち警察にIPを出すためのシステムとかをつくっていないので、担当者が手作業でアクセスログをコピーして貼り付けたりするからです。

そういう手作業になると、数字が1行ズレているだけで全然違う人のIPが提出されちゃう可能性が高くなる。その結果逮捕されて、有罪になる人が出るのを考えると、実は他人をはめるのって簡単だよなぁ……とか思っちゃったりするわけです。

そんなわけで、システムのことがわかっていると、「IPアドレスだけでは確証にならず、複数の証拠をもって固めないと真実はわからないよね」ってのは当然のこと。「気が弱い人を脅して自白を取れば仕事が終わる」みたいに考える人が権力を持っていたりするのは、どうかと思ったりするんですよね。

システムがわからないなら、逮捕した人のパソコンをちゃんと調べればいいのに、「そんなことをしていたら何十年もかかる。限られた時間では難しい」と警察の偉い人は言っているみたいですが、何十年もかかるというのは嘘で、実行ファイルをチェックしていけばいいだけです。知識がないのか、単に面倒くさいのかはわからないですけど、「面倒くさいから証拠なしでも有罪にしよう」はさすがに酷いですよね。

犯行予告は犯罪なので逮捕したほうがいいわけですけど、そのための専門知識がないなら知識のあるところに外注するのも一つの手だと思うんですけどね。

（SPA!2010年10月30日号に掲載）

IPアドレス／ネットワーク上の機器を識別するための番号のこと。ネット上で犯罪予告などがあった際に、IPアドレスから逆探知を行い発信者を特定できる場合がある

現在のひろゆきが振り返る2012年

日本のITの行方を決定づけたWinny事件と金子勇さんの喪失

社会問題にもなったファイル交換ソフト「Winny」。その開発により著作権法違反ほう助罪に問われていた金子勇さんの無罪が確定したのは、2011年12月のことでした。

僕は昔、金子さんに一回だけ会ったことがあります。たしか、金子さんが逮捕されて裁判中で、弁護士の壇俊光先生も同席していたと思います。そんなWinnyが残した功績と金子さんが逮捕されたことは、のちの日本のIT開発現場に大きな影響を与えました。

Winnyは中央サーバを介さずに、個人間のコンピュータを通してファイルのやり取りができる「P2P」という仕組みを用いたソフトでした。これがとても素晴らしい技術だったことは間違いありません。

Winny以前にも、「Gnutella（グヌーテラ）」など似たようなP2Pのソフトは存在していたのですが、あくまでテスト的にみんなが面白がっているだけで実用されている感はなかった。Ｗｉｎｎｙは実用的なＰ２Ｐネットワークとしては、ほぼ初めて成立したサービスと言えます。

同様のＰ２Ｐサービスと比べ、Ｗｉｎｎｙのどこが凄かったのか？

現在、仮想通貨に用いられているＰ２Ｐの技術は、基本的には金子さんが用いた仕組みと同じようなもので、そこにブロックチェーンという取引履歴を記録する情報を付け加えただけです。

グヌーテラもそうですが、Ｐ２Ｐのネットワークを構築することができるエンジニアは当時もたくさんいました。でも、金子さんは「間違ったソフトとか偽物のソフトを自動的に排除する」という、ほかにはない仕組みをＷｉｎｎｙに搭載させていました。

例えば、流通しているファイルの中に偽物と本物のファイルがあったとして、それを見たユーザーは偽物のファイルを削除して本物を残しておきます。すると、大量に削除されているファイルを「偽物」と判断して流通を減らす一方で、「ユーザーが多く残しているファイルはきっと本物で役に立つものだから残す」という判断をするアルゴリズムが、Ｗｉｎｎｙには実装されていたのです。

Ｗｉｎｎｙはひとつのファイルを４つに分割して、それを自分の使わないものと使うものを含めて、ある程度のバランスでデータを流通させます。それによって、人が多く使うデータほどなるべくうまく流通させていました。

つまり、アルゴリズムでバランスを取る微調整をちゃんとやっていた。これは今あるビットコインなど仮想通貨のＰ２Ｐのシステムと比べても、非常に高度な技術なのです。

抜群だった金子勇さんの プログラミングセンス

また、Ｗｉｎｎｙを問題なく動かすには、多くのコンピュータが自動的にシナプスのように繋がって処理される必要があり、そのためにはいろんなアルゴリズムや、負荷のかからないプログラムを書く必要があります。

金子さんには、そういったプログラムを作る抜群のセンスがありました。

例えば、金子さんがプログラミングした「画面上の頭部の画像をマウスで動かすと、それに合わせて髪の毛がきれいに動くように見える」という単純なソフトがあります。仮に、このソフト上で髪の毛1本1本の動きをシミュレーションすると、すごい計算が必要になって処理が追いつかず動作に問題が出ることになるのです。

しかし、金子さんは「これくらいの毛量で、この動きをすれば人は自然に動いているように見える」という絶妙なラインを見いだして、処理を減らしていました。だから軽妙に動作するうえソフトのデータ量も小さくて済むのです。

そういったところが金子さんのセンスのよさです。でも金子さんを逮捕したことで、日本はプログラミングのセンスのある人が活躍できない社会になってしまった。これは、とてももったいないことです。

金子さんは東京大学の研究者だったので、あの手のタイプの人がちゃんと残っていれば、恐らく日本のＡＩ技術などもさらに進化していったと思います。

今ではＷｉｎｎｙのシステムを使っている人は見かけません。それは社会の「Ｗｉｎｎｙがなくなったほうが管理しやすい」という思惑には勝てなかったからだと思います。

そもそもＷｉｎｎｙが問題になったのは、違法なファイルのやり取りや、それに伴うコンピュータウイルスの蔓延です。ファイルのコピーも簡単だし、管理する中央サーバもないので「このファイルを消したい」と思っても止めようがない。結果としてＷｉｎｎｙは問題視され、消えていきました。

しかし、Ｗｉｎｎｙをなくしても世の中はあまり変わらなかったと思うのです。冷静に考えれば、Ｗｉｎｎｙの場合は探しても欲しいファイルが手に入らないこともあります。Ｐ２Ｐの性質上、ファイルの入手は誰かがネットワーク上にアップするまで待ち続けるしかないからです。

それが今や、必要な情報はネット上を探せばそれなりに見つけられるし、ダウンロードもできます。Ｗｉｎｎｙがなくなったとしても、価値のある情報やデータファイルはどこかにアップされ続けています。

つまり、Ｗｉｎｎｙがあろうがなかろうが、世の中で誰かが持っているファイルを管理下に置くことなどできないのです。

Ｗｉｎｎｙが社会から抹殺されたことに意味があったのかは不明です。しかし、少し本気で探せば、ちょっとしたパソコン知識がある中学生なら欲しいファイルやソフトを入手できてしまう状況があるのは紛れもない事実です。

Winny事件の教訓を日本はどう生かすべきか

金子さんが逮捕されて以降、高裁までは有罪判決が出ました。最終的には無罪になったわけですが、とても優秀な技術者が長期間、裁判に拘束されたのはもったいないとしか言いようがありません。

その後、金子さんは2013年7月に急性心筋梗塞のため死去しました。亡くなった理由がストレスだとしたら、この事件の影響は計り知れないでしょう。

最終的に金子さんは無罪になったのだから、逮捕は間違っていたということです。しかし、逮捕した京都府警には何のお咎めもありません。一審の判決を下した裁判官も、今もそのまま普通に裁判官をやっていると思います。何かをやらかしてもお咎めがなければ、これからも同じことが起きる可能性は十分にあります。

2023年3月から、Winny事件を題材にした映画が公開されました。この映画に僕が望むことがあるとしたら、「金子さんは悲劇の人でかわいそう」や「技術的な観点で逮捕してしまうのはマズい」という部分だけでなく、「間違って逮捕した側が咎められないと社会構造が変わっていかない」という部分まで描いてほしい、ということです。

そうしないとたぶん社会は変わらない。

金子さんの事件を生かしていくためにも、「かわいそうな人の冤罪事件があった」という話で終わらせないような描き方をしてほしいと思うのです。

「技術的な問題」を議論できる人が社会に影響ある立場にいない

金子さん以外にも、日本には不思議な逮捕が多い気がします。例えば「岡崎市立中央図書館」という図書館の検索システムにアクセスして逮捕された人がいます。

図書館側がネット上に在庫を調べる検索システムを公開していたので、それを利用して自動で在庫リストを作り出す便利なプログラムを作生して動かした人が逮捕されたのです。

確かにアクセスの負荷がかかり検索システムに繋がりにくくなっていたのですが、故意に迷惑をかけようとしたわけでも非公開情報を閲覧していたわけでもありません。つまり「負荷をかけないで」という話し合いで済む話なのです。

2019年に起きた「Coinhive（コインハイブ）事件」も同じような構図でした。

コインハイブはウェブサイトの管理者が暗号資産で利益を得るサービスの名前で、2017年頃から広まりました。

コインハイブを使った人は、自分のサイトに広告の代わりに仮想通貨をマイニングするスクリプトを設置。サイト閲覧者のパソコンを動かしてマイニングを行い、自分が報酬を得るというサービスでした。

それが捜査当局から「閲覧者のパソコンが勝手に使われる、違法なウイルス」と見なされ、逮捕されるケースが出たのです（コインハイブ事件に関してはFILE048でも解説）。

確かに、コインハイブによって「サイトを見ている端末に負荷をかけられた」と思う人がいるかもしれません。しかし、実際には動画広告が流れるほうがよっぽど端末に負荷がかかります。実際に2022年には最高裁で無罪判決が下されています。

このようにエンジニアや技術者であれば普通に考えられることが、技術がわからない人には通じません。

そして、「逮捕するほど技術上の問題があるのか？」という議論をできる人が、社会的に影響のある立場にいない。むしろ、よくわからないことが起きると、「きっと自分たちにとって悪いことだ」と思い込みたい頭の悪い人が、警察や検察や裁判官側にいるのでしょう。

結果的に、技術者にとっては普通の行動でも検挙に繋がり、一般の人たちには「悪いことだ」という認識が植えつけられるわけです。

こういった事件が起こるたびに「技術がわかる人が捜査に入ればいい」と思います。しかし、日本は「パソコンを触ったことがない」「USBがわからない」という人でも大臣をやれる国です。

この流れは金子さんの事件で「警察と裁判所が悪い」という風潮にならなかったことを考えても、変えることが難しい気がしてならないのですよ。

BACK TO

2013

炎上度

FILE 016

ひろゆき書類送検

2013年
1月発生

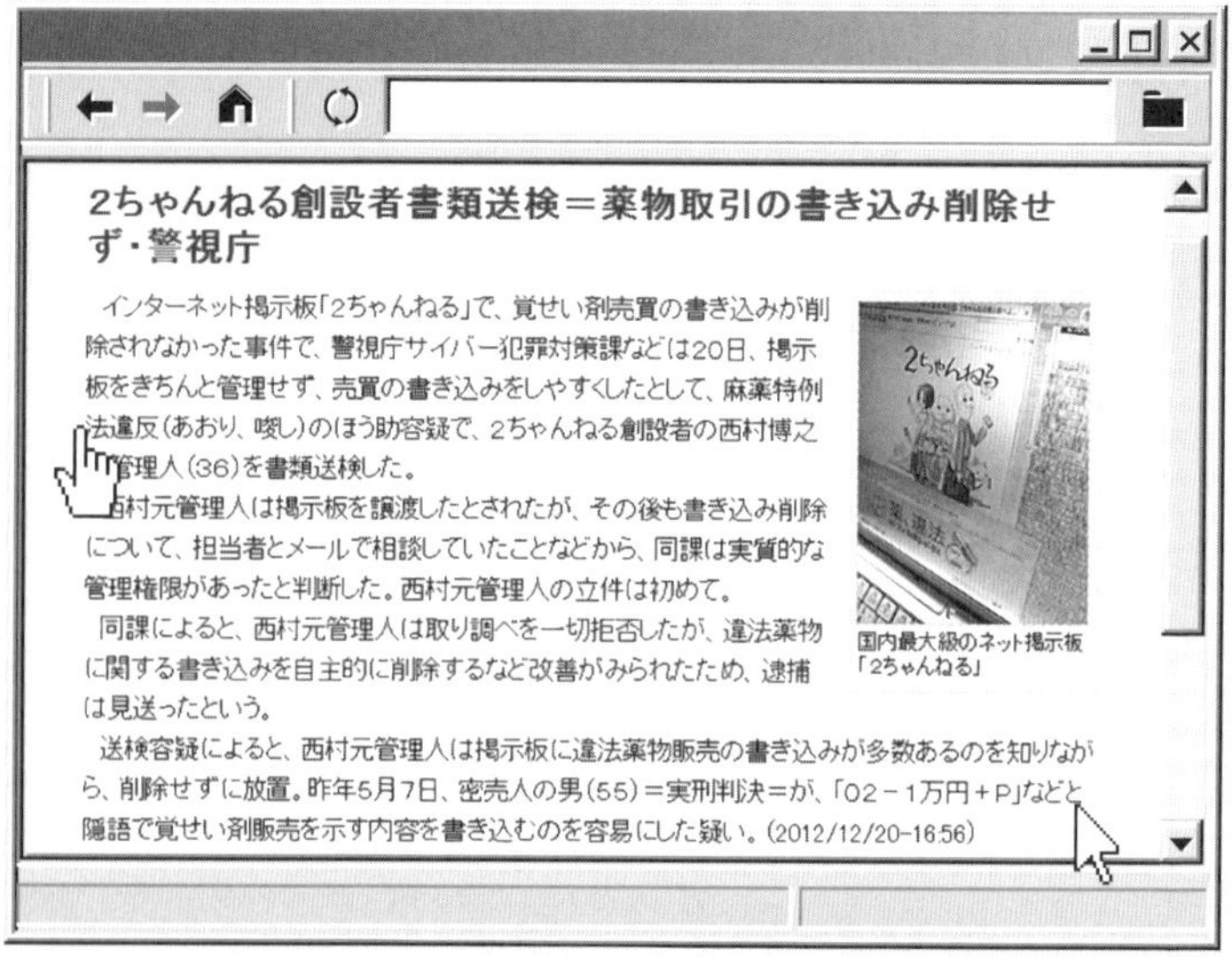

2ちゃんねる創設者書類送検＝薬物取引の書き込み削除せず・警視庁

インターネット掲示板「2ちゃんねる」で、覚せい剤売買の書き込みが削除されなかった事件で、警視庁サイバー犯罪対策課などは20日、掲示板をきちんと管理せず、売買の書き込みをしやすくしたとして、麻薬特例法違反（あおり、唆し）のほう助容疑で、2ちゃんねる創設者の西村博之元管理人（36）を書類送検した。

西村元管理人は掲示板を譲渡したとされたが、その後も書き込み削除について、担当者とメールで相談していたことなどから、同課は実質的な管理権限があったと判断した。西村元管理人の立件は初めて。

同課によると、西村元管理人は取り調べを一切拒否したが、違法薬物に関する書き込みを自主的に削除するなど改善がみられたため、逮捕は見送ったという。

送検容疑によると、西村元管理人は掲示板に違法薬物販売の書き込みが多数あるのを知りながら、削除せずに放置。昨年5月7日、密売人の男（55）＝実刑判決＝が、「02－1万円＋P」などと隠語で覚せい剤販売を示す内容を書き込むのを容易にした疑い。(2012/12/20-16:56)

国内最大級のネット掲示板「2ちゃんねる」

2ちゃんねる存亡の危機!? 西村ひろゆき氏を書類送検

2012年12月、警視庁はインターネット掲示板「2ちゃんねる」に書き込まれた違法な情報を放置、禁止薬物の売買を手助けしたとして、西村ひろゆき氏を麻薬特例法違反ほう助の疑いで書類送検したと発表した。この事態に対し、2013年に入ってからのネット上では「ネット犯罪で手も足も出ないから、ひろゆき捕まえてウサ晴らしか」など、批判的なコメントも多数見られた。（画像は当時のニュースサイトより）

当時の日記

こんにちは。テレビを観ていたら、「クリスマスは、誰と過ごす?」みたいな感じで、ソーシャルゲームの女の子の画像が流れるCMを見て愕然とした、ひろゆきです。このCMって、「お前ら、彼女とかいないんだろうし女の子の画像でも見てお金を落としなよ」と運営側が言ってるんですよね? 明らかに客をバカにしているわけですけど、お客さんは気にしないんですかね? 世の中には心が広くて優しい人が多いみたいです。

そんなわけで、2ちゃんねる創設者の会社役員(36歳)が**書類送検された**らしいです。って、僕のことなんですが。振り返れば、2012年3月にパソコンやらハードディスクやらが押収されていまだに返ってきてないんですが、12月にまたパソコンを押収されて、押収され放題な今日このごろです。

そして、12月の押収に関しては、「パソコン遠隔操作事件で**ログを探すため**」という理由だったのですが、「パソコン内にログがある可能性がある」ってな話でもなくて、「あるかないかわからないから、とりあえず押収する」という乱暴な感じだったりしました。

というわけで、警察の中の人にはあまり好かれてない様子の僕は、知り合いから「大丈夫ですか?」とか聞かれたりするんですけど、書類送検後にどうするかは、おいらが決めることではないので、聞かれても答えられないんですよねぇ。

周りからは気も使われるんですが、「この人、気を使って喋ってるなぁ……」ってのがわかって、逆にこちらが気を使って喋るみたいになって、なにやら面倒くさい感じだったりとか不思議な様子です。

まあ、年末で増えていた面倒くさい仕事も、「書類送検されてバタバタしてるんですよ」とブッチしまくっていたのですが、世の中には優しい人が多いので、「世の中、ちょろいな」とか思ったり思わなかったり。

ちなみに強制捜査は人生で3回目なんですが、人生って同じことが何回か起こると慣れちゃいますよね。いいことなのか、悪いことなのかわからないですけど。

(SPA!2013年1月22日号に掲載)

書類送検された/当時、2ちゃんねるに書き込まれた違法情報に対して警察が行った削除要請の多くに筆者が応じない状態が続いたことが原因だった

ログを探すため/2ちゃんねるには遠隔操作をした犯人である片山祐輔氏の書き込みがあり、コンピュータウイルスの配布経路となっていた

炎上度

FILE 017

パソコン遠隔操作事件②

2013年1月発生

アニメのような犯行予告。PC遠隔操作犯からの挑戦状

パソコン遠隔操作ウイルスの真犯人とみられる人物が、「謹賀新年」と題したメールを2013年元日未明にメディア関係者に送付。ウイルスの入った記憶媒体を山中に埋めたことがわかり、警視庁が捜索したが記憶媒体は発見されなかった（犯人の片山祐輔は翌2月に逮捕された）。当時のネット上では、捜査体制への批判とともに「犯人も調子こきすぎ」といった声も。（写真は当時の警視庁特設フェイスブックページより）

当時の日記

新年になって多忙なフリをしつつ、だらだら過ごしているひろゆきです。

さて、世間を騒がせた遠隔操作ウイルスの犯人が、2012年末に山中にUSBメモリを埋めたというメールを送って、警察が雲取山を捜索するとか慌ただしい感じになりました。

しかし、結局はなんにも出なくて警察が新年早々振り回されたようです。

そもそも、USBメモリを山中に埋めてもなんの罪にも問われないんですよね。埋めたものが硫化水素とか爆発物とかであれば、危害を加える可能性があるので威力業務妨害などに問われますが、USBメモリを埋めたというメールを送って、そこに何もなかったとしても、なんの罪にも問われません。勝手に警察が動いただけで犯罪性はなかったりします。

個人的な予想ですが、メールを送ったのは便乗した愉快犯の可能性もあるかな……と思っていたりします。大きなニュースになるので愉快犯としては満足できる結果ですし、仮に警察がUSBにたどり着いても、便乗した愉快犯だと逮捕できない。

なので、便乗した愉快犯が騒ぎを起こす危険性は今後もある気がします。真犯人が捕まれば少なくなると思われがちですが、「USBを埋めただけでは罪にはならない」と知っていたら、便乗する愉快犯はいなくならない気がするんですよ。

なので、メールが来たからといってメディアもガンガン取り上げることをやめたほうがいいし、警察も逮捕できない愉快犯の捜索には動かず、スルーするのが一番な気がしています。税金のムダづかいですしね。

2012年末に脅迫状が届いて、**「黒子のバスケ」に関するサークルがコミケに出展できなくなった**事件も犯人は捕まってないみたいですし（編集部注：犯人の渡邉博史は2013年12月に逮捕）、こういう無意味なことをしていないで、悪いことをした人を捕まえるという警察として当たり前のことをやってほしいなぁ、とか思ったりする昨今です。

（SPA！2013年1月29日号に掲載）

「黒子のバスケ」に関するサークルがコミケに出展できなくなった／アニメ「黒子のバスケ」に関連するイベントが開催されるたびに、関係各所に会場での犯行予告が送られた事件。2012年末に開催されたコミックマーケットや「ジャンプフェスタ2013」でも同アニメの関連ステージや展示・物販が中止になった

炎上度

FILE 018

2013年4月発生

NTTのネット調査が炎上

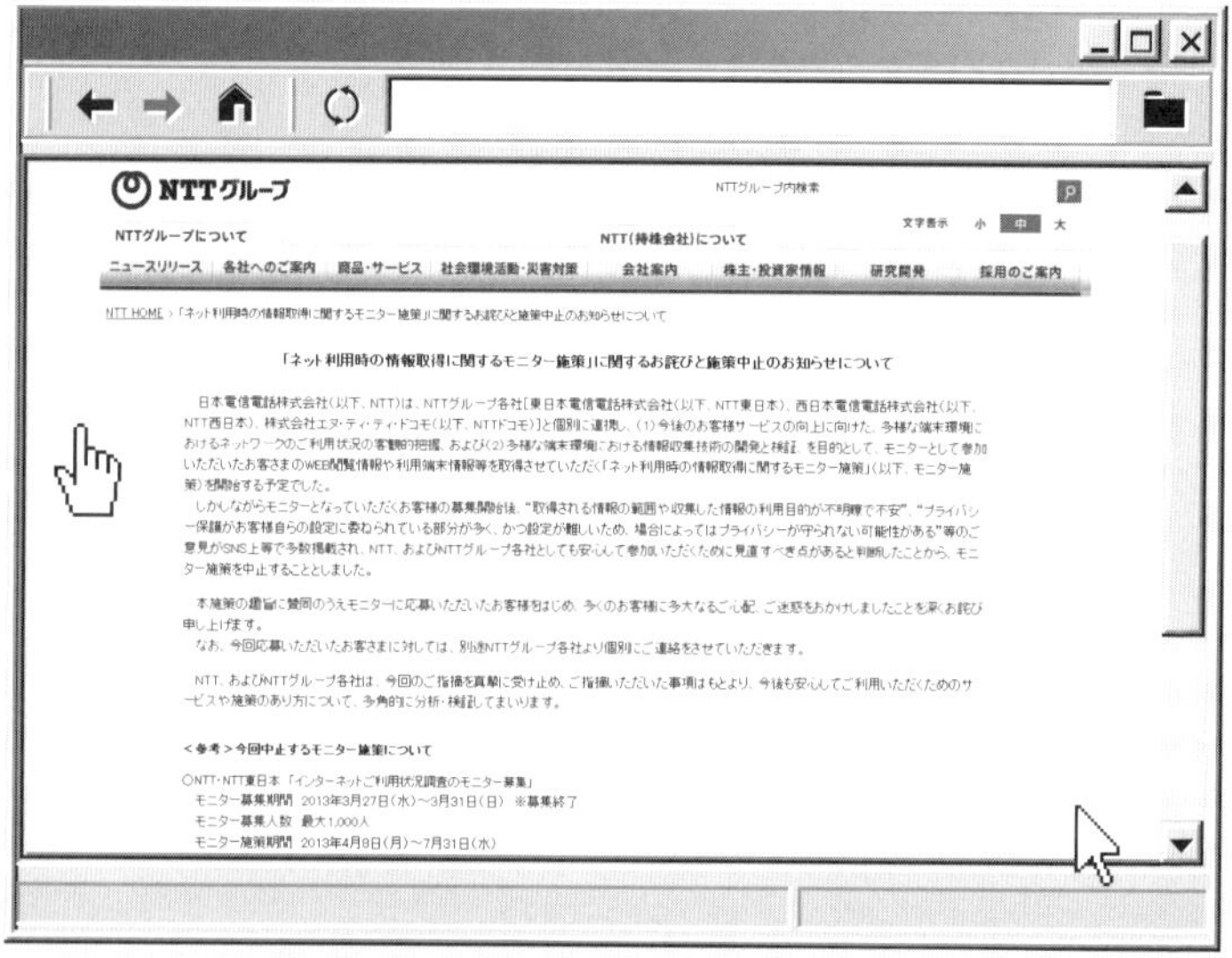
NTTグループ

NTTグループ内検索

文字表示 小 中 大

NTTグループについて　NTT(持株会社)について

ニュースリリース　各社へのご案内　商品・サービス　社会環境活動・災害対策　会社案内　株主・投資家情報　研究開発　採用のご案内

NTT HOME >「ネット利用時の情報取得に関するモニター施策」に関するお詫びと施策中止のお知らせについて

「ネット利用時の情報取得に関するモニター施策」に関するお詫びと施策中止のお知らせについて

日本電信電話株式会社(以下、NTT)は、NTTグループ各社[東日本電信電話株式会社(以下、NTT東日本)、西日本電信電話株式会社(以下、NTT西日本)、株式会社エヌ・ティ・ティ・ドコモ(以下、NTTドコモ)]と個別に連携し、(1)今後のお客様サービスの向上に向けた、多様な端末環境におけるネットワークのご利用状況の客観的把握、および(2)多様な端末環境における情報収集技術の開発と検証、を目的として、モニターとして参加いただいたお客さまのWEB閲覧情報や利用端末情報等を取得させていただく「ネット利用時の情報取得に関するモニター施策」(以下、モニター施策)を開始する予定でした。

しかしながらモニターとなっていただくお客様の募集開始後、"取得される情報の範囲や収集した情報の利用目的が不明瞭で不安"、"プライバシー保護がお客様自らの設定に委ねられている部分が多く、かつ設定が難しいため、場合によってはプライバシーが守られない可能性がある"等のご意見がSNS上等で多数掲載され、NTT、およびNTTグループ各社としても安心して参加いただくために見直すべき点があると判断したことから、モニター施策を中止することとしました。

本施策の趣旨に賛同のうえモニターに応募いただいたお客様をはじめ、多くのお客様に多大なるご心配、ご迷惑をおかけしましたことを深くお詫び申し上げます。

なお、今回応募いただいたお客さまに対しては、別途NTTグループ各社より個別にご連絡をさせていただきます。

NTT、およびNTTグループ各社は、今回のご指摘を真摯に受け止め、ご指摘いただいた事項はもとより、今後も安心してご利用いただくためのサービスや施策のあり方について、多角的に分析・検証してまいります。

<参考>今回中止するモニター施策について

○NTT・NTT東日本「インターネットご利用状況調査のモニター募集」
モニター募集期間 2013年3月27日(水)～3月31日(日) ※募集終了
モニター募集人数 最大1,000人
モニター施策期間 2013年4月8日(月)～7月31日(水)

NTTがインターネット調査で個人情報収集に非難殺到

NTTグループが行う予定だった、アプリを使った調査に非難が殺到した。この調査に参加すると、ネットを通して利用したキャッシュカードやクレジットカードの暗証番号、本来は権限がないと閲覧不可な情報までもがNTTに送信される仕組みだったからだ。この手法に「説明がわかりにくい」などの非難が殺到。同社は謝罪をし、調査は見送りとなった。

(写真は当時のNTTグループホームページより)

当時の日記

いろいろな作業が重なって睡眠不足になったり、自分でもびっくりするような生活をしているひろゆきです。

さて、ネット上では個人情報の流出を極度に怖がる人がいて炎上をしたりすることがあります。最近だと「LINEが電話帳をアップするのはどうなの？」って疑問にホリエモンが「気にしなくていいじゃん！」と言って炎上したり……。今回も、NTTから配布されたアプリを入れて調査に協力するとポイントがもらえるものの、クレジットカード情報やメールの内容などネットを通してやったことがNTTに**自動的に送られることが判明**。その手法が批判されています。

まぁ、批判する人の気持ちはわかるんですが、よく調べると世の中ではいろんなものが情報垂れ流しになっているんですよね。ネット上で利用しているサービスは特にそうです。

例えば、Gmailはグーグルがメールの内容にあった広告を表示する仕組みです。家庭で契約したプロバイダは、接続先の記録をすべて保管しています。送信記録を全部取っているところも多いですね。無料のWi-Fiでも有料でも、Wi-Fiの設置者が悪意を持っていたら、ネットを使ったいろんな行動がすべて捕捉・保存されている可能性もあります。

こうやって考えると、そもそもネットが安全だと思うのが誤解であって、あなたがやった行為はすべて、どこかで記録に残されているかもしれない状況なのですね。んで、そういう現実を知っていると、今さらNTTを叩いたりする前に、他のことも気にしたら？とか思ったりもします。利用者にわかりづらいかたちでやったNTTも悪いので、そこらへんは気をつけたほうがいいと思いますけど。

ただ、自衛はしなきゃいけない昨今なので、ネットに繋ぐときは有料の**VPNサービス**を必ず使うとかの対策は考えたほうがいいかもしれません。まぁ、僕は見られて恥ずかしいことはしない健全安全好青年なので、大丈夫なわけですけど。

（SPA!2010年4月28日号に掲載）

自動的に送られることが判明／カード番号だけでなく、閲覧したサイトの画面や位置情報、さらに社内ネットワーク内の情報も送信されるよう設定されていた

VPNサービス／プロバイダなど一般の公衆回線を、専用回線であるかのように利用できるサービスのこと。権限のある端末のみ接続でき、通信も暗号化される

炎上度

FILE 019

飲食店
バカバイト炎上

2013年
8月発生

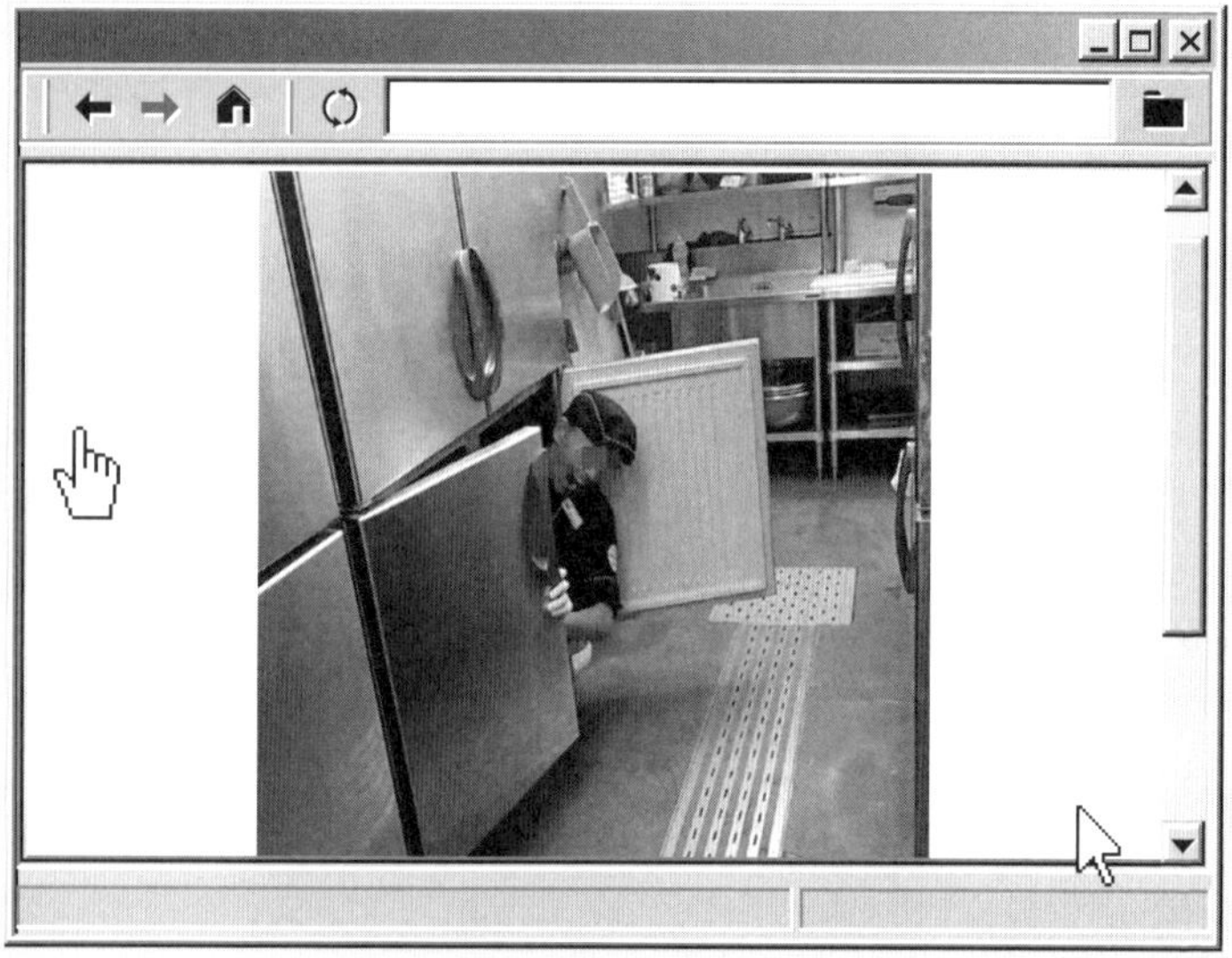

悪ふざけ写真が大炎上。当該店舗が閉店する事態に

ステーキレストラン「ブロンコビリー」のアルバイト店員がキッチン内の冷蔵庫に入っている写真をネット上に掲載し、炎上した。同社は問題を起こした当該店舗の閉店を決め、問題を起こした店員に損害賠償請求を検討していると発表した。この対応にネット上では賛否両論が巻き起こることに。著名人がコメントしたこともあり白熱した議論が展開された。（写真は当時の投稿画像）

当時の日記

最近は「ファイナルファンタジーXIV」の最新版のスタート時にログインしたらサーバが落ちるという、オンラインゲームの恒例行事に参加していたひろゆきです。

一見、不満がたまる状態に見えたりしますが、こういうお祭り的なものに友達と参加していると、「ログインまで行ったけど、サーバ選択まで行かない！」とか「オープニングまで行ったよ〜」とかの話になったりして、それはそれで結構面白かったりします。

そんな感じで、外からは無意味に見えることでも参加してみると面白いってことはあって、そういう内輪の遊びがネットで可視化されることが増えてきている昨今だったりします。**コンビニの冷蔵庫に入った写真**を友達に送ったりして「バカだなぁ」とか言いあって楽しんでいたら、大人にバレちゃって大問題に発展しちゃうとか。

ということで、ステーキハウスのブロンコビリーの店員が冷蔵庫に入ってる写真をネットにアップしたことで、その店舗が閉鎖。店員に損害賠償を請求するみたいなのがニュースになっていました。まぁ、若気の至りから物議をかもすようないたずらをすることがあるわけで、本人が悪いのは事実ですけど、正直、閉店の責任を負うほどのことかなぁ、と。

ドワンゴ会長のかわんご（川上量生）さんや茂木健一郎さんも、ツイッターで本社の対応を非難したりして、なにやら騒がしい感じになっています。

実際、そこまでしなくても冷蔵庫の中身を全部捨てるとか掃除をするとかで済む話かと。損害賠償をしても、今回の件がきっかけで店の客が減ったとかも起きてなさそうなので、取れても冷蔵庫内の品物の補塡費用と清掃費用くらいにしかならないと思いますし。

そう考えると、今回の閉店は、例えばその店員がオーナーの息子とかで今後も改善の見込みがないとか、実は不採算店で整理の必要があったとか、なんらかの事情や裏があるんじゃないかなぁ……と邪推をしてしまうんですよねぇ。

（SPA！2013年9月3日号に掲載）

コンビニの冷蔵庫に入った写真／同時期には、いたずらでローソンのアイスの冷凍庫に店員が入り込んでいる写真がネット上にアップされ炎上。さらにこれをマネして別の店の店員が食器洗浄機に入った写真などもネット上に出回るなど、「バカバイト」による炎上騒ぎが立て続けに起きた

炎上度

FILE 020

「FC2」違法転載で提訴

2013年10月発生

日本向け海外企業サービス「FC2」ついに訴えられる

海外に本社・サーバを置くFC2が、動画投稿サイトに無断で映像公開をしたとして、映像制作会社7社から提訴された。法改正により日本向けサービスを展開している海外企業に国内で訴訟を起こせるようになったことがきっかけだった。今までは日本国内展開を行う海外企業を訴えるのは難しかったこともあり、ネットでは訴訟の展開に注目が集まった。（写真は当時のFC2動画のサイト）

当時の日記

近頃は動画サイトがどんどん増えていて人気だったりするわけですけど、なかでも「わりと成長株なんじゃないか」と言われていたFC2が訴えられてネット上で話題になっています。

FC2のアダルト動画は、市販のアダルトビデオがそのままアップされていたりするんですが、無料会員だと一日に見られる回数が制限されていて、有料会員になると見放題ってシステムだったりします。

そして、例えばニコニコ動画では削除申請を受けたら削除しまくりでしたが、FC2はわりと動画が残っていることが多いです。「削除しろ」と言われても無視したのか、文句を言おうにもアメリカ・ネバダ州の会社なので、「英語で送らなきゃいけないから面倒くさい」といった理由で後回しになっていたのか……。

ところが、ついに日本で提訴をしてくる会社が出てきました。損害賠償で6500万円ってことなんですが、この会社が勝つと、テレビ局とか映画会社とかでも訴訟を起こす会社が出てくると思うんですよね。**FC2動画のランキング**を見ても、テレビ番組ばっかりだったりするわけですし。

ただ、日本で判決が出たとしても、運営会社はアメリカの**ネバダ州にある会社**で、サーバもアメリカにあったりするので、ネバダ州でもう一度裁判をしないと差し押さえなどの強制力は発揮できません。なので、そこらへんの部分でFC2が逃げ切るのか、それとも戦うのかを興味深く見ていたりします。

ちなみに、カリフォルニア州だと、日本の判決をそのまま承認してもらえるんですが、ネバダ州はそういうシステムはないようです。ネバダ州はもともと、ラスベガス以外になんにもない砂漠だけの場所なので、法人にめっちゃ有利な州法を作っていて、アメリカ中から会社を誘致していたりするんですよ。

そんなFC2ですが、方針転換してテレビ番組の動画を削除しまくればテレビ局に訴えられないのに、いまだにテレビ番組を載せているところをみると、戦う気満々ってことなんですかねぇ……。

（SPA!2013年11月12日号に掲載）

FC2動画のランキング／掲載当時のランキングは『リーガルハイ2』『ダンダリン　労働基準監督官』『ごちそうさん』など日本のテレビ番組ばかりで、なかには放送中の番組も

ネバダ州にある会社／FC2の会社概要によれば、本社はネバダ州のラスベガス。会社の設立は1999年7月となっている

現在のひろゆきが振り返る2013年

ひろゆきも逮捕寸前だった？ネットの犯罪予告が社会に与えたもの

2013年1月、僕が書類送検されたことがネット上でも話題になりました。

理由は、2ちゃんねるのユーザーが掲示板上で隠語を使いながら薬物の取引をしていたことで、2ちゃんねるを立ち上げた僕が「麻薬特例法違反ほう助」の疑いで、書類送検されたのですね。

当時、2ちゃんねるには犯罪予告が書き込まれることもあったのですが、僕が管理人をしていたときには、警察から要請があればログやIPアドレスの提出など捜査に協力をしていました。

そんな犯罪予告のひとつに「パソコン遠隔操作事件」がありました。他人のパソコンにウイルスを感染させて乗っ取り、そのパソコンを遠隔操作して犯罪予告をした、という事件です。犯行予告を書き込んだパソコンの持ち主が4人も逮捕されたのですが、後から真犯人が犯行声明文を発表して、警察が誤認逮捕を認め謝罪しました。

その事件の真犯人が片山祐輔さんです。彼は他人のパソコンを遠隔操作して殺人予告をした疑いで身柄を拘束されていたものの、一貫して無罪を主張。結果、証拠不十分で裁判にもならず、一度は釈放されました。

しかし、釈放されてから真犯人を名乗り報道機関などへメールを送信したことで足がつき、最終的に逮捕され懲役8年の実刑判決を受けています。

釈放後に何もしなければ普通に逃げきれたのに、「なんでそんなバカなことをしたのか？」と思う人もいるでしょう。個人的に、彼は警察がもっとバカだと思っていた気がします。実際に4人が誤認逮捕されたことについて彼は、「意外に簡単だった。逮捕されたと聞いて『やった』という気持ちになった」と言っていたようです。たぶん彼は愉快犯なのです。

警察トップがひろゆきを逮捕したがっていた？

そして、僕が逮捕されなかったのは〝この事件のおかげ〟という部分もあるんじゃないかなと思っていたりします。

というのも、ある週刊誌の報道で、当時の警視総監が就任の所信表明的なもので、「自分の目が黒いうちに、2ちゃんねるをつぶす」と、公に言っていたと書いてあったのです。

その警視総監は生活安全課出身。生活安全課はインターネット上の犯罪などを取り締まる部署でもあるので、あながち間違いでもないような気がしています。

知人のマスコミ関係者からも、「警察は2ちゃんねるをつぶしたいのではなく、本当はひろゆきを逮捕したい」ということも伝えられていました。

要は、2ちゃんねるでは犯行予告などが行われていることから、「それを管理しない僕が悪いはずである」と思ってしまう、頭の悪い警察の人たちがいた。

そして、「犯人が捕まらない以上は、犯罪が起きたことの責任を誰かに被せるべき」という考えで僕がターゲットになり起訴されたわけです。

でも、そんなところにパソコン遠隔操作事件が発生。警察は4人を誤認逮捕したうえに真犯人すら捕まえられなかった。

これが大きな汚点となり、警視総監は退任。別件であろうとなんであろうと、僕を逮捕する方針もあったと思うのですが、書類送検で終わったわけです。

ありふれた存在になった犯罪予告や誹謗中傷

生活安全課出身だった当時の警視総監は、「犯行予告や誹謗中傷を取り締まって話題にすれば日本の治安がよくなる」と誤解していたのかもしれません。

しかし、そんなことにはなりませんでした。今では日本中の人がツイッターのようなＳＮＳを使うようになり、誹謗中傷や犯行予告は〝ありふれた存在〟にすらなっています。それでも日本の治安は特に変わらないし、犯行予告が行われても被害者が出ないことのほうがほとんどです。

今ではマスコミが大事件として扱うこともありません。昔のようにネット上の犯行予告レベルで炎上したり、テレビが一斉にニュースにしたりすることは、これからはほぼないような気がします。

とはいえ、ニュースにならないからといって警察が動かないわけではない。殺人予告や不審な書き込みへの通報が来たら、所轄の人が動き「ＩＰアドレスがわかりました。この人を逮捕します」とか「犯人はわかりませんね。じゃあ警備をつけます」という対処を、各地で淡々とやっているのでしょう。

　実際に「ニコニコ超会議」のときに僕の殺人予告が出たことで、会場である幕張メッセを管轄している千葉県警がSPを派遣し、イベントの最中はずっと僕に付き添ってくれたことがありました。

　ニコニコ超会議には当時の総理大臣であった故・安倍晋三さんをはじめ、多くの国会議員などが参加していました。それもあり、どこに行くにしても警察がウロウロ。周りからも「そろそろ犯人来ましたか？」と言われ、「いやいやいや」と笑うしかないという……。

犯罪予告が実行される時代の不気味さ

　そのように、2010年代の半ばまでは「ネット上の殺人予告は、書き込みだけで実際には行われない」というのが一般的な認識だったように思います。

　ところが、2018年6月に発生した「福岡IT講師殺害事件」で、Hagex（ハゲックス）さんという男性が刺殺される事件が起きました。ハゲックスさんはブロガーであり有名なIT講師だったのですが、彼とネット上で衝突した人物によって、福岡県のセミナー会場内のトイレで刺殺されてしまったのです。

この事件から潮目が多少変わった気がしています。

ネット上で、「アイツが憎い」とか「殺してやる」という書き込みがあっても、それはどこか「実際には起こらないこと」と思っていたのに、本当に実行する人が出てきてしまった。顔を知らない者同士がネット上で揉めて殺人事件にまで発展したケースは、日本では初めてだった気がします。

殺人予告があったか定かではありませんが、2022年11月には東京都立大学の宮台真司教授が背後から近づいてきた男性に背中と腰と首を切りつけられています。

宮台教授は、ネット上でわりと激しい口調で投稿をする人。そういう意味でハゲックスさんの事件と同じ怖さを感じたりします。

一方、僕もわりときつい口調で書き込みをしますが、最近は殺人予告が来ていません。フランス在住なので手が届く範囲の外だと思われているのでしょうか。

ただ、前述のとおりネット上の言い争いから殺人に発展するケースが増えているのは事実なので、もし殺人予告があったら今度も千葉県警に助けてもらおうと考えています。

BACK TO 2014

炎上度

FILE

021

“STAP細胞” 小保方氏の釈明会見

2014年
4月発生

小保方晴子氏 記者会見 生中継 <STAP細胞・最終報告書に対する不服申し立て> [詳細]
ニコニコニュースちゃんねる（提供:株式会社 ニワンゴ）累計来場者数：101,368,310 お気に入り登録する
ニコニコニュース
小保方晴子 (1)
STAP細胞 (1)
理研
理化学研究所
三木秀夫
[すべてを見る]
ニコニコ生放送:GINZA
niconico LIVE
アリーナ 最前列 - 2525
595,871
712,919
コメント
NG
コメント
なんで毎日からw
美穂じゃないのか？
いい声
須田さん！
いい声ですね
メラゾーマ画像
やせた？
東スポカモン
いかがでしょうか～
マイクテストの意味
ラブミーティング！
それは物理刺激？
メラゾーマ？
なるほど、わからん

大注目の小保方氏が釈明会見。当時のネットでは同情の声も？

2014年春は日本中がSTAP細胞問題に揺れた。論文の不正を指摘された理化学研究所の小保方晴子氏が記者会見を実施。記者からの質問に対し、「STAP細胞はあります」という有名な発言も。小保方氏は2015年に理化学研究所を退職することになるが、当時のネット上では涙ながらの姿に同情する声も上がっていた。（写真は当時の動画）

当時の日記

小保方さんの記者会見にワイドショーも食いつきまくりの昨今ですが、その内容が人間観察的になかなか興味深かったのでニコニコ動画での生中継に見入ってしまいました。

嘘をつくのがうまい人の特徴に、答えられる部分だけ反論したり、ズレた返答をして、反論したように見せかけるってのがあります。

例えば、記者から「理研の給料で1年弱も高級ホテルで生活するのは難しいけど、そのお金は？」と聞かれて、小保方さんは「そのホテルに限らないですけど、私はホテルで生活を、といいますか滞在していた頃はハーバード側の研究員でしたので、出張での滞在です」と答えていました。どこからお金が出たのかという質問の答えになっていませんよね。

そもそも、日本人が日本に戻るのに、アメリカの大学が滞在中のホテル代なんか出さないですよね。教授や准教授とかで学会があるとかならいざ知らず……。

ホテル代は理研が税金で出している確率が高いわけですが、それを言うと叩かれるので「ハーバードの出張」という答えにならないことを言って、切り抜けていたりするわけです。なので、例えば「実験ノートが4冊なのか？　5冊なのか？　ハーバードにあるのは何冊なのか？」とか詳細を聞いていくとごまかせなくなるのですが、記者のツッコミが中途半端なので曖昧な答えで逃げきられているんですよね。

そして、天性の嘘つきのパターンには、「自分まで騙すことで自分の嘘を本当に信じてしまう」というものがあります。嘘をついたとき特有の後ろめたさとか全然ないって人で、本人の記憶自体がすり替わっちゃっているのです。自分に不利なことは覚えていないし、有利なことは事実と思い込んでしまうので、注意深く質問しないと整合性が取れないように見えたりするんですよね。小保方さんの記者会見を見た人とかからファンレターが殺到しているようですが、理研の偉い人も騙されたわけで、視聴者にも騙される人は大勢いるんじゃないかなと……。

（SPA!2014年4月29日号に掲載）

ファンレターが殺到／騒動当時、小保方氏の代理人である三木秀夫弁護士の事務所に「かわいそうだから守ってください」「心から支えています」などのメッセージが多く寄せられた

炎上度

FILE 022

2014年5月発生

“炎上王”ホリエモンの怪気炎

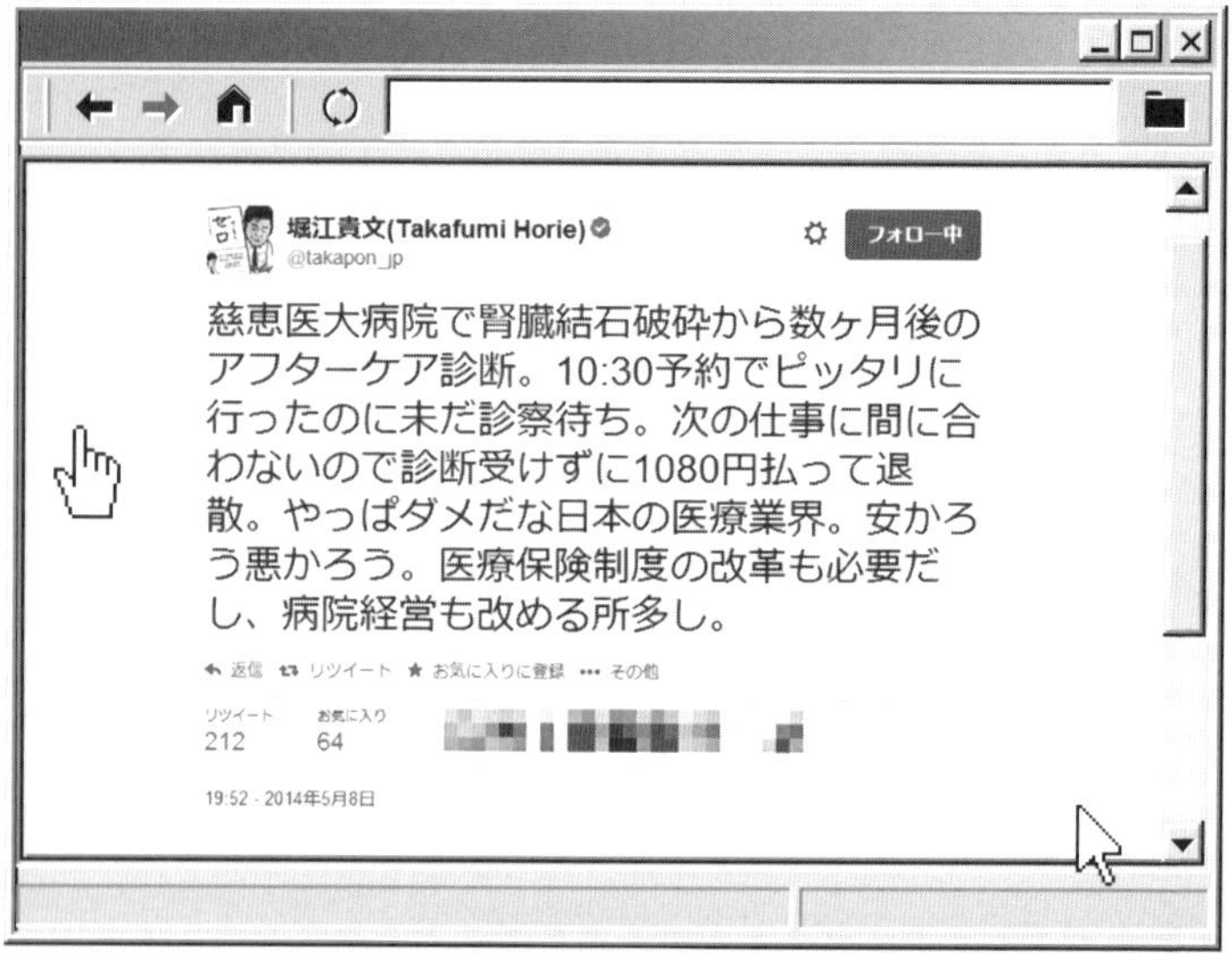
堀江貴文(Takafumi Horie)
@takapon_jp
フォロー中
慈恵医大病院で腎臓結石破砕から数ヶ月後のアフターケア診断。10:30予約でピッタリに行ったのに未だ診察待ち。次の仕事に間に合わないので診断受けずに1080円払って退散。やっぱダメだな日本の医療業界。安かろう悪かろう。医療保険制度の改革も必要だし、病院経営も改める所多し。
返信
リツイート
お気に入りに登録
その他
リツイート
212
お気に入り
64
19:52 - 2014年5月8日

「予約時間に診療できない」医療業界にホリエモンが喝

堀江貴文氏の発言は2014年当時からツイッター上で度々炎上。このケースでは大学病院で予約時間に診察を受けられず、次の仕事に遅れるからと代金の1080円を支払い撤収。それをツイッターで告げつつ日本の医療業界にダメ出しをしていた。ネット上では「病院の予約はただの優先権であって、時間を保証しているわけじゃない」など非難の声も上がっていた。（写真は当時のツイッター）

当時の日記

最近は炎上を嫌ってなのか、発言を気にする人が多くなった気がします。

しかし、いろんな発言が出てきたほうが世の中は面白くなったりするので、**「美味しんぼ」の作者さん**もめげないでほしいなと思っています。

というわけで、思いつきをそのまま発言し、それが炎上しても気にしない人にホリエモンこと堀江貴文さんがいます。

堀江さんはちょっと前にも、新幹線や飛行機内で泣く赤ん坊の親の対処法について苦言を呈して炎上していたのですが、今度は医療業界へのダメ出しをしたようです。

病院で散々待たされたことから、「やっぱダメだな日本の医療業界。安かろう悪かろう。医療保険制度の改革も必要だし、病院経営も改める所多し」などと発言した模様。結果的に、「緊急の患者のほうが優先。わがまま言うな」とか言われているようです。

その病院の待ち時間ですが、実はなんとかしようとしている人たちもいるんですよね。実際にネットで予約できるような病院も出てきたり、大病院の受診初診料を患者の全額負担にする案とかもあったり。そして、人間ドックなんかだとお金持ち向けの数十万円するようなコースとかがあったりします。

ほかに病院によってはお金持ち向けのコースがあって、富裕層がそっちに行けば普通の人が行く病院の混雑が緩和されると思うし、医療業界に多くのお金が落ちるので医学にも貢献すると思うわけです。そして、こうやって文句を言う人が出てくることで対策がとられて、みんなが便利になったりするんです。

大人な人は文句を言うと炎上したりするので、なかなか公言しませんが、世の中には言いづらいけどなんとかしてほしい物事がけっこうあります。

ということで、こういった問題を公言して炎上してくれる堀江さんみたいな人のおかげで、ノーリスクで便利な社会が享受できたりするので、炎上している人にはもっと頑張ってほしいと思ったりしています。

（SPA！2014年6月3日号に掲載）

「美味しんぼ」の作者さん／「ビッグコミックスピリッツ」（2014年4月28日発売号）に掲載された漫画「美味しんぼ」において、福島県の震災・原発事故被害に絡んだ内容表現が物議をかもした件。作者の雁屋哲氏と出版社が批判され、同作は2014年以来、長期休載扱いになっている

炎上度

FILE 023

パソコン遠隔操作事件③

2014年6月発生

《PC遠隔操作事件》 片山祐輔氏 保釈後の記者会見 録画放送 [詳細]
ニコニコニュースちゃんねる （提供:株式会社 ニワンゴ） 累計来場者数：105,201,982 お気に入り登録する
ニコニコニュース
報道
片山祐輔
PC遠隔操作
東京高裁
保釈
ニコニコニュース生放送
ニコニコ生放送:GINZA
niconico LIVE
アリーナ 最前列 - 2525
48,936
26,528
コメント
NG
設定
コメント
この2人仲良いな
ぼっさんを探す俺
猫と遊びたい
マスコミ震えてるwwwwwwww
おねがいしますにゃん
本出せば売れる
江川は冤罪派だろ
言ったれ！
神保さんいた
おこりたい
おこ
ゆうちゃんおこ
おこ
おこなの
江川紹子さん良い質問やな
10:59/39:09

片山被告自白でネット騒然。誤認逮捕に対する批判の声も

2012年から続いていたパソコン遠隔操作事件で当初は無罪を主張していた片山祐輔被告。しかし、2014年6月には一転して「私が犯人です」と認めた。以来、ネット上は大騒ぎ。警察に対しては「警察よくやった」など賛辞の声もある一方で、初期捜査の過程で発生した誤認逮捕に言及する疑問の声や、検察への批判などもネット上では散見された。

（写真は当時のニコニコ動画）

当時の日記

相変わらず海外を転々としていますが、最近はインターネットのおかげで海外でも日本で発売された最新漫画やゲームが楽しめたりします。情報もテレビや新聞ではなくネットで手に入るので、海外にいても情報の差がなく、パソコン遠隔操作事件で犯行予告をしていた片山祐輔被告の自白もリアルタイムで知りました。

自白の決め手になったのが、携帯電話を地面に埋めていたことだったわけですが、それ以外にも高尾山にUSBメモリを埋めたり、江の島の野良猫のクビにUSBメモリをつけたり、現実の世界に足跡を残しまくっていたようです。

それがきっかけで逮捕に繋がったわけですが、現実に足跡を残さなかったら無罪になっていた可能性が高いわけです。

こういった愉快犯というのは、今後は今回の事件を参考にしてもっと巧妙に動いてくるわけです。世間的には遠隔操作事件は一件落着ムードですが、同じようなことをやる人が出てきて、その人がインターネット上だけで行動をして現実に足跡をまったく残さなかった場合や、犯人がそもそも海外在住だった場合、捕まえることができない可能性もあるわけです。そういうときはどうするんですかね？

それ以外にも「**誤認逮捕**して自白を強要したよね？」とか「**FBIからウイルスの情報**が提供されたって話は嘘だったよね？」とか、捜査にはいろいろな課題が残りまくりなわけです。

「警察が悪い、警察よくやった」とか、「片山が100%悪い」とか、さまざまなコメントが出てくるのがインターネットのいいところです。でも、海外からニュースサイトの報道を見る限りだと、「片山被告が自ら墓穴を掘ったので結果オーライだけど、彼がミスをしなかったら無罪になっていたんじゃないの？　これってヤバくね？」という報道を見かけない。そういうところが日本のメディアの微妙なところだと思っちゃうんですよねぇ。

（SPA!2014年6月10日号に掲載）

誤認逮捕／遠隔操作により4人が誤認逮捕された件。ちなみに遠隔操作による犯行予告が2ちゃんねる上で行われていたことから、筆者もパソコンを押収された

FBIからウイルスの情報／2013年初旬には「米国内のサーバに遠隔操作ウイルスが保管されていたとの情報がFBIから警視庁に提供された」との報道があった

炎上度

FILE 024

クレーマー動画 "自爆"騒動

2014年 9月発生

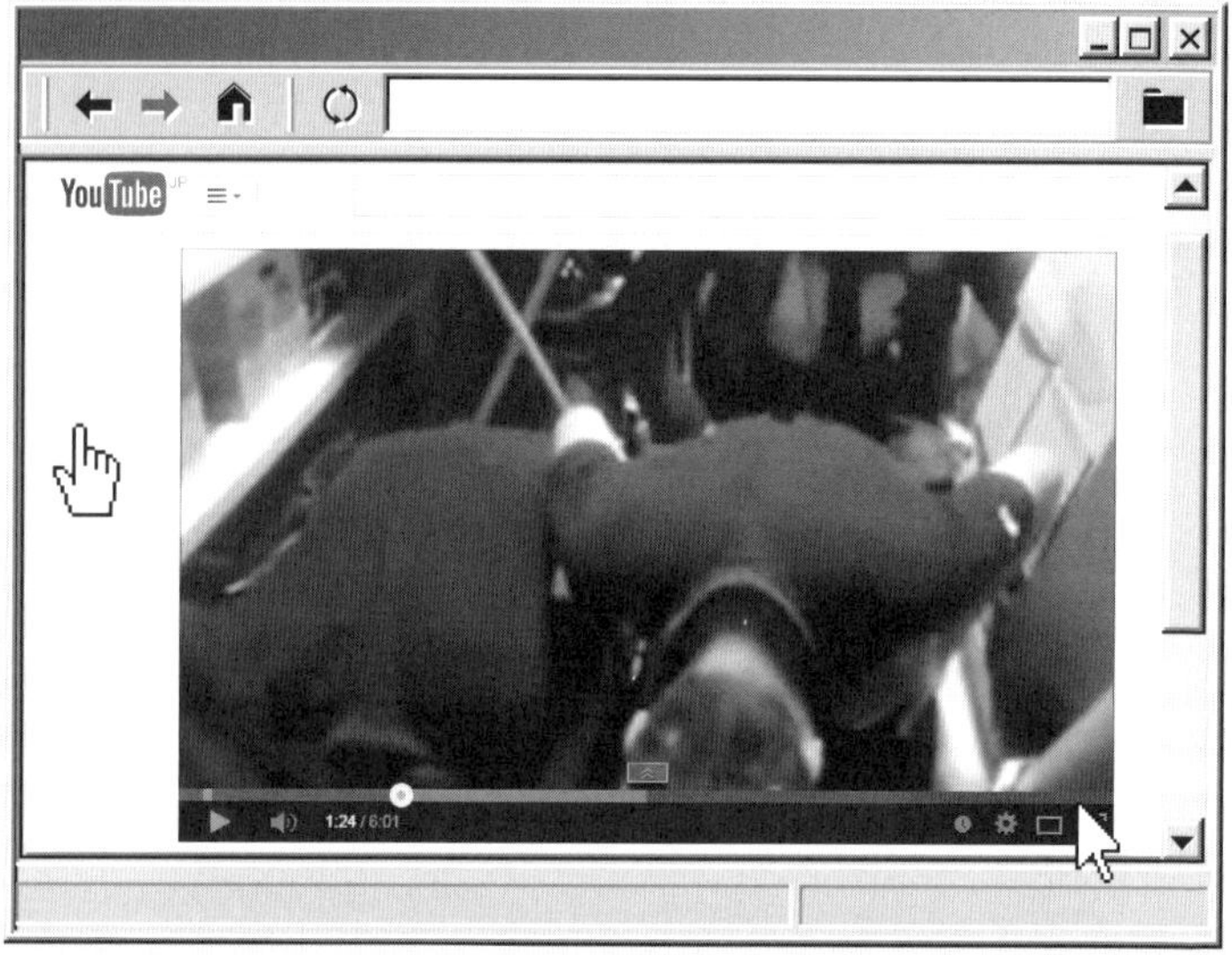

個人特定に「怖くなった」 犯人自首にネット民歓喜

2014年9月、大阪府内のコンビニエンスストアで客に言いがかりをつけられ、店長らが土下座させられる動画がネット上に投稿された。動画を上げたのはなんと加害者で、これにネット上では有志が集い投稿者の特定がスタート。掲示板などに詳細な個人情報が多数集まり、加害者は「ネットを見て怖くなった」と警察に出頭。ネット上に勝利宣言と歓喜のコメントが溢れた。（写真は問題になった動画より）

当時の日記

少し前に関東連合の人たちが逮捕されていたりしましたけど、世の中には暴力団以外でも暴力を利用する人が結構いるんですよね。クレーマーがごねまくって得する例というのは世の中に多いですし、手段として脅迫にならない程度に脅すって人もいます。

そして、警察に通報しても証拠がなく「言った／言わない」になるので、基本的には被害者が泣き寝入りすることが多いです。ただ、録音とかの証拠があると、警察も動かざるを得ないので今回のように逮捕者が出たりするわけです。

今回の件は被害者が証拠を残したわけじゃなく加害者側が自分で証拠をネット上に公開したわけですが、犯罪行為をしたという自覚がまったくないんですよね。暴力団をほのめかすだけで警察が動くのはニュースを見ていればわかるし、いじめ動画をアップして社会問題になった例とかも知らなかったり、社会のことを全然わからず学習能力もないまま**無職でいい年齢**になっちゃった人が世の中にはいるわけです。

この事件が氷山の一角だとすると、日本も今後はなかなか大変だなぁと思ったりします。仮に犯罪者として生きていくなら刑法や警察の動きに詳しくなるべきだし、ネットに動画をアップしたらどういう結果になるか想像するべきですし。

今回は炎上がきっかけで有志の人たちがネットで情報を寄せあって加害者の素性が晒されて**警察に出頭したら**しいですけど、それって正義感からじゃない気がするんですよね。家でパソコンを触るだけで有名事件に関与できるのは、ニュースを見ているよりも面白いわけです。もし、本当に正義感の強い人なら街中で困っている人を助けるわけで、情報を寄せあったり対象人物が見そうな場所に書き込むってのは、正義感の強い人がやらなくても他にやる人がいるわけですよ。

だから、「面白い」とか「メシウマ」とか、いろんな感情の中にちょっとだけ正義感あるだけな気がします。今回はたまたま結果的によかったですけど。

（SPA！2014年10月7日号に掲載）

無職でいい年齢／逮捕されたのは、中村剛容疑者（39歳・無職）、野仲史晃容疑者（46歳・建築関連）、府内在住の女性（39歳・アルバイト）とその10代の娘の計4人（年齢は当時）

警察に出頭した／野仲容疑者は「ネットを見て怖くなった」と警察に出頭。ネット上で有志たちが晒した個人情報があまりにも多くなったことを理由にしていた

炎上度

FILE 025

2014年
12月発生

「ペヤング」ゴキブリ混入騒動

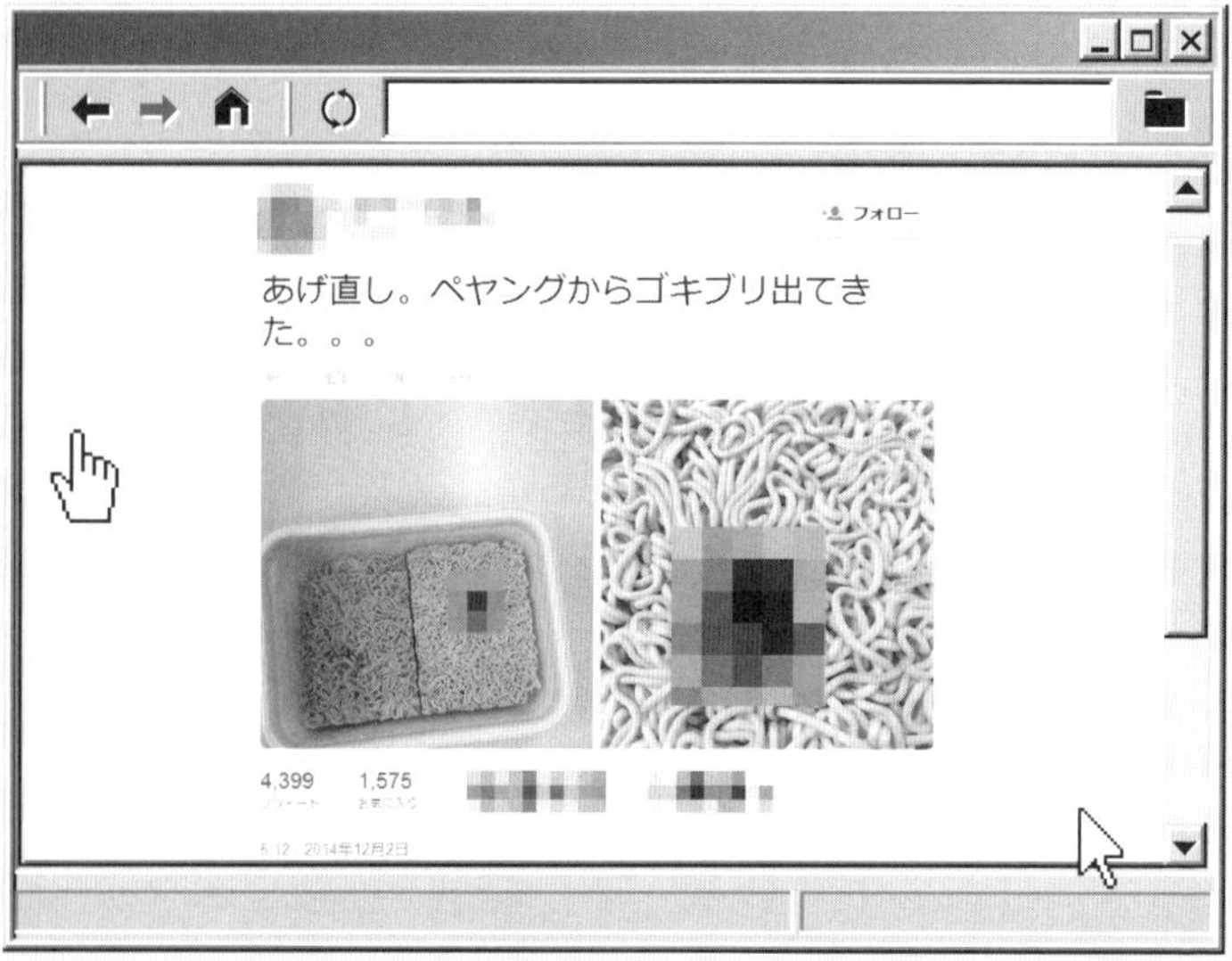
フォロー
あげ直し。ペヤングからゴキブリ出てきた。。。
4,399
1,575
5:12 - 2014年12月2日

ゴキブリ混入カップ麺、メーカー対応に非難集中

カップ焼きそば「ペヤング」の中にゴキブリらしき物体が混入している衝撃画像がツイッター上にアップされて話題に。しかし、それ以上に話題になったのが、品代を返金し「お互いのため」といって該当ツイートを削除させた販売元「まるか食品」の対応だった。ネット上では「安い手段で揉み消しか、セコい手段で企業イメージ落とすな」など多くの非難コメントが。(写真は当時のツイッター)

当時の日記

東南アジアの屋台でごはんを食べると、虫が寄ってきても気にならなくなってきたりしますが、食べ物を扱う場所に虫が出るのは仕方ないことなんですよね。

例えば、ラーメン店とか飲食店で働いている人なら一度や二度はゴキブリを見たことがあるわけで。昔からある程度の確率で食品に虫が入るのは発生しちゃうのですが、その対処を間違うといろいろ大変だよな……というお話。「ペヤング」の中にゴキブリらしきものが入っていたことをツイッターであげたら、メーカーの人が謝りに来て「お互いのため」とツイートを削除させて、品代を返金したらしいです。

昔は変な商品が手元に来ても、友達に話すぐらいで終わっていましたが、いまやネットで公開してネタとして楽しむという新しい文化があったりします。今回の件では返金されたようですが、**商品代をもらう**くらいならネット上でネタにして、一時の有名人感覚を味わったほうがいいと感じる人もいるわけです。

昔は素直に品代をもらって終わりにすることのほうが多かったでしょうし、ごねる人はクレーマーとか一部の人だけでした。だからメーカーの人が「お互いのため」などと言いつつ圧力をかけるようなことをしていたんじゃないかなぁ、と。

まぁ、ごねてお金を欲しがると刑事事件になったりしますし、そういう意味では「お互いのため」というのも正しいのですが、ごねる気がない人にとっては失礼な話以外の何物でもないですよね。だから今回のような事件になっちゃったわけです。

結果、この記事も含めて耳目を集めることになったので、**ペヤングの風評被害**は数十万円じゃきかなそうです。もはや担当者は会った途端に土下座でもして、5万円ぐらい包んだほうが、結果的に安く済むと思うのですよ。

いまや個人が情報を拡散するメディアを持っている時代ですから、お客様担当者は〝普通の人〟だと思っても気を使ったほうがいいと思いますよ……。

（SPA!2014年12月23日号に掲載）

商品代をもらう／商品の回収時にメーカーから4559円の商品代が支払われたとされ、ネット上では4559円分（10個以上）ものペヤングを買っていたことに対する驚きの声も

ペヤングの風評被害／「まるか食品」は、保健所の立ち入り検査後、問題の商品と、同日に同ラインで製造された商品4万6000個を自主回収すると発表した

現在のひろゆきが振り返る2014年

仮想通貨の流れを一変させたマウントゴックス事件

2014年は年初からSTAP細胞問題で騒がしい年でした。一躍、時の人となった小保方晴子さんですが、のちに論文に不正があったことが明るみに。会見で涙ながらに「STAP細胞はあります」と訴えて、さらに話題になったりもしました。

そもそも、研究の成果というのは提出された論文で判断されるものですが、別に目の前で実証実験をするわけでもないので、証拠を捏造する人というのはザラにいたりします。それをチェックするために査読者が存在していて、虚言癖で捏造する人を落とすという機構が働いていたからこそ、論文だけで研究の成果が成立しているわけです。

STAP細胞の捏造に関しては、小保方さんが悪いのは確実です。しかし、小保方さんの論文を問題なしと見なして通してしまった査読者や周りの共同研究者、掲載をした雑誌も間題だし、もっと言えばアホすぎる。

もしくは、捏造の事実に薄々気づいていたのに通してしまったのではないかと、僕は思っています。

というのも、共同実験者として論文を書いた人が証拠を見ていないのです。普通であれば証拠などを見て「確かにそうなるから、一緒に論文を書こう」と進めるはずなのに、それを見もしないで「共同論文を書こう」というのはやっぱりおかしいですよね。

仮想通貨界の節目になった マウントゴックス社の破綻

また、小保方氏が注目を集めていた頃、同じようにマスコミから猛バッシングを受けていた人物がいます。

「マウントゴックス事件」によって起訴されたマルク・カルプレスさんです。当時の連載では扱っていませんでしたが、2014年時点では世界最大級のビットコイン交換所だったマウントゴックス社がハッキングを受け、大量のビットコインを流出させて経営破綻に追い込まれた事件です。

マウントゴックスは2009年にトレーディングカードの交換所として設立され、2010年からビットコイン事業に乗り出しました。しかし、窃盗行為によって約85万ビットコインが消失したのです。

破綻当時の1ビットコインの価格は、日本円にして約5万5000円。2023年3月現在は1ビットコイン＝約300万円なので比べ物になりませんが、それでも時価にして約470億円という巨大な額が盗まれたわけです。

この事件以降もビットコインが盛んに取引されているのはご存じだと思いますが、2018年にはコインチェックから仮想通貨が盗まれていますし、2022年には、世界2位の仮想通貨取引所大手「ＦＴＸ」の経営破綻という事件も起きています。

とはいえ、ＦＴＸの事件は顧客資産を不正流用した、いわゆる「ポンジスキーム型」の詐欺犯罪だと言われているので、マウントゴックスの件とはまた毛色の違う話です。

マウントゴックス社は、経営者が自作自演で盗んだり隠したりしていなければ単なる被害者でしかない。コインチェックも同じです。

マウントゴックスやコインチェックは銀行のように顧客資産を預かっていたわけですが、その銀行に強盗が入ったとき「強盗ではなくセキュリティの甘い銀行が悪いのか？」という話です。

そもそも、仮想通貨取引所は最低限のセキュリティレベルの基準がまだ確立しているわけではないので、一定の割合でこういった被害が出ます。そういう意味で、強盗に入られた経営者を責めるのはいかがなものかと思うのです。

そんなマウントゴックスの一件ですが、前述の通り、今ではビットコインの市場価値が１００倍以上に膨れ上がったので、経営者の手元に残っていたビットコインを法定通貨価格で換算すれば、当時の被害額を補填してもお釣りがくる状況になりました。これは現金や金（ゴールド）などではあり得ないので、面白い時代だなと思います。

ひろゆきが見てきた 黎明期の仮想通貨カルチャー

もともと仮想通貨の文化というのは、「おもちゃのお金みたいなものでピザが買える」みたいな〝ネタ〟として楽しむエンタメ文化でした。それが２０１２年くらいからはやり始め、１ビットコインの価格が10円→１００円と上がっていき、数百万円にまでなった。

結果、仮想通貨を投機のツールとして見る人が増えました。おもちゃみたいな使い方から、投機に変わってしまったわけです。

でも、仮想通貨が本当に便利なのは、投機としての部分ではなく、その仮想通貨自体の仕組みを利用することにあると僕は思っています。

例えば、日本の銀行からカリフォルニアに住んでいる人に100ドルを送金しようとすると、たぶん日本円で3000円くらいの国際手数料を取られます。海外の銀行であればさらに高額な場合もある。

それが仮想通貨であれば数百円の手数料で済む。送金時にだけ仮想通貨を使い、終わったらさっさと換金し、手元に置かないカタチの通貨として使うのが、仮想通貨の使い道としてはいいと思います。送金時に交換した仮想通貨を貯め続ければ、その激しい価格変動により1年で資産が半分になってしまう可能性もありますから。

ただ、技術的な面で考えるとネガティブな部分もあります。

例えば、ビットコインのマイニングには電力が必要で、ブルームバーグによれば、2022年初頭のビットコインの推定電力消費量は、年間138テラワットアワー。電力消費量が低めであるノルウェーなどの年間電力消費量を上回っています。

ほかにも「51％攻撃」といって、マイニングを行う者がネットワーク上の計算量の51％以上を支配すれば、ブロックチェーンネットワークをコントロールできて不正取引やマイニングの独占をできたりします。

もちろん、仮想通貨によってはうまくいっているプロジェクトもありますが、普通の銀行のように「ここまでセキュリティをやっておけば大丈夫」というモデルがまだ確立できていないのは確かです。

そういう意味では、犯罪が起きれば価格が大きく下がるリスクもあるので、多くの人が資産として仮想通貨を持つのはまだ先になると思います。

BACK TO 2015

炎上度

FILE 026

犯罪者への〝ネット私刑〟問題

2015年 2月発生

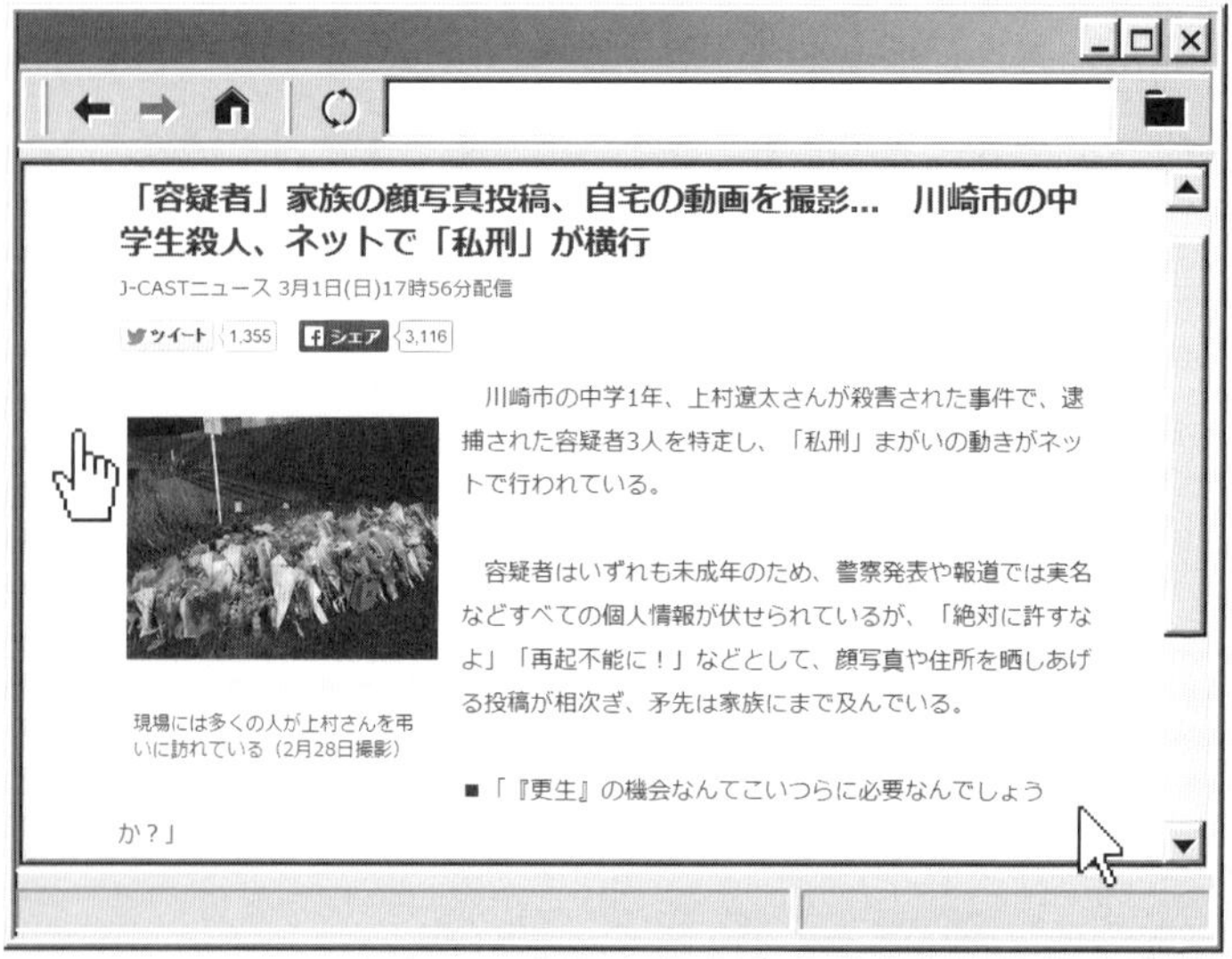

「容疑者」家族の顔写真投稿、自宅の動画を撮影… 川崎市の中学生殺人、ネットで「私刑」が横行

J-CASTニュース 3月1日(日)17時56分配信

ツイート 1,355 シェア 3,116

川崎市の中学1年、上村遼太さんが殺害された事件で、逮捕された容疑者3人を特定し、「私刑」まがいの動きがネットで行われている。

容疑者はいずれも未成年のため、警察発表や報道では実名などすべての個人情報が伏せられているが、「絶対に許すなよ」「再起不能に！」などとして、顔写真や住所を晒しあげる投稿が相次ぎ、矛先は家族にまで及んでいる。

現場には多くの人が上村さんを弔いに訪れている（2月28日撮影）

■「『更生』の機会なんてこいつらに必要なんでしょうか？」

川崎市の少年殺害事件容疑者に対し、集合知による「私刑」が横行

2015年2月、神奈川県川崎市で中学1年生男子が殺害される事件が発生。少年3人が逮捕された。この件でSNSなどを用いて、加害者の顔写真や住所を晒しあげる〝私刑〟行為がネット上で相次いだ。なかには報道陣とともに容疑者宅前からネット生中継する者まで登場し、少年法やプライバシーの観点から物議をかもすことになった。（写真は当時のYahoo!ニュースより）

当時の日記

少し前からツイッターとかでは、普通の人によって報道でしか得られない情報や事件現場の写真がアップされはじめました。最近ではニコニコ生放送とかで一般の人が中継を流すのも増えてきています。

川崎の事件では逮捕された少年の家の前で報道陣と一緒にネット生放送をしていた少年がいて、視聴者に通報される件がありました。

さらに、ネット中継中には現場に来た警察官から「近所迷惑なので、そういうのをやめてほしい」と言われ、「報道陣と同じことをしているのに、なんで報道陣には言わないの？」と口論に。結果的に警察官が追い返されて、少年を褒める人や迷惑行為を咎める人とかいろいろ出てきて、混乱が深まっています。

この主張には確かに一理あって、世の中には、「マスコミはやっていいけど、一般人はやっちゃダメ」という、よくわからないルールを押し付ける人が結構います。今回の殺害事件の主犯格の名前がネット上で知られた理由は、テレビが原因だったりします。主犯格の写真をボカして放送したところ、「ボカした写真の元の写真はコレだよね？」って元の写真がバレて、本人が確定したわけです。要はマスコミが主犯格の個人情報を確定させたかたちですよね。

昔はSMAPスマップのメンバーの住所と電話番号を載せた本を販売して**訴えられた出版社**があったり、マスコミにもろくでもない人たちが働いていたりします。いまさら「マスコミだけがちゃんとしていて、一般人はちゃんとしてない」って論理を通すのは、ちょっと難しいんじゃないかなぁ……と思うのですよ。

もちろん、生中継がきっかけで訴訟になるリスクもあります。そうなったら親なり本人なりが責任を取ることになるわけですが、本人はそのリスクもわかりつつ、「イタズラで度胸試しをしよう」みたいなのと似たノリでやっている気がする。そのあたりはマスコミが学習したのと同じように、訴訟になってから覚えていくんじゃないすかねぇ。

（SPA！2015年3月17日号に掲載）

訴えられた出版社／鹿砦社《ろくさいしゃ》のこと。1996年に発行されたの書籍『SMAP大研究』に関連し、所属していたジャニーズ事務所からプライバシーの侵害で出版差し止めの要求をされた。同社は表現の自由を訴える裁判を行うも敗訴。しかし、出版差し止めの要求を受けてから、実際に差し止めの仮処分が下りるまでの期間に初版3万部を流通に乗せ、完売させている

炎上度 🔥🔥

FILE

027

2015年
4月発生

Gmailで
「就活不採用」騒動

働く人のキャリア形成のために
キャリコネニュース

🔒 会員ログイン

🔍 記事検索

■ あの企業の給与明細
■ インタビュー・座談会
■ 仕事・働き方・トレンド
■ 年収・ボーナス・稼ぎ方
■ 口コミ・吉祥・バクロ話
■ 残業・社畜・ブラック
■ オトコ・オンナ・恋愛
■ 企業・業界・ウラ話
■ 上司・部下・トラブル
■ 就活・新卒・リクルート
■ 転職・出世・キャリア
■ 芸能・エンタメ・笑める

就活・新卒・リクルート　　　　　　　　vol. 615

就活生は「Gmail」を使っちゃダメなのか？ 面接担当者の指摘に「不安になる」の訴え

2015.4.13　　　　　　　　💬 コメント(0)

👤 キャリコネ編集部

●ドメイン ●フリーメール ●就活

🐦 ツイート 39　👍 いいね！154　3　g+1　0　　✅ Check

ナビサイトへの登録やOB・OGとの連絡な
ど、いまやメールアドレスなしでは就活は乗
り切れない。無料で使うこともあり、G

就活にGmailを使用し、
不採用となる事案が発生

とある就活生の話題がネット上で論議論を呼んだ。就活生がエントリーシートにGmail
のアドレスを記載したところ、面接時に「メールアドレスにGmailなんて普通ありえない」
「もういいです。帰ってください」などと言われたという。しかし、ネットではGmailでも問
題ないという意見が中心。「こんな会社なら落とされて正解」という意見すら見られた。
（写真は当時のキャリコネニュースより）

当時の日記

最近の就活は、学生の売り手市場らしいですけど、実際には優秀な若者が売り手になっているだけで、大多数の人は内定を得るのが大変だったりするみたいです。そんな就活で、「エントリーシートにGmailのアドレスを書いたら落とされた」って事案が話題です。今どきGmailだから落とすのは、理由としてかなり変だと思います。

昔はフリーメールを使うのは微妙という空気がありましたが、今は時代が違います。アンドロイド携帯を使っていたらGmailは必須ですし、「就活では普通は大学のメアドを使う」という意見もありますが、大学のアドレスがGmailで運用されている場合も多いので、拒否する理由としては微妙ですよね。

というわけで、Gmailのアドレスを書いただけで落とすのはその会社の担当者が相当おかしいのか、それ以外の内容に原因があったのか、どっちかじゃないかなぁと思うわけです。

ただ、そうとも言い切れないので、それ以外の可能性でどんなパターンが想定されるか考えてみました。

可能性としては、アカウント名が「unko」とか、頭おかしい系だったりすると、「ご遠慮いただこう」という感じになるかもしません。それ以外だと、アカウント名の後に**「+」を入れている**場合も警戒されるかもしれないです。

例えば、Gmailで「12hiroyuki」というアカウントをメインで使っていたとすると、サブで「12hiroyuki+test」というアカウントも使えて、そこ宛てに送られたメールはメインのメールアドレスに届くようになります。そんなわけで、SPAMを送りつけてきそうなサイトにメールアドレスを登録するときは、「12hiroyuki+spam」というアカウントで登録しておく……なんて使い方ができるわけです。

そういう**SPAM**対策的な文言を入れてると失礼だと思われたりするかもですね。ただ、この方法は本来はGmailの正しい使い方なんですけどね。

（SPA!2015年3月17日号に掲載）

「+」を入れている／Gmailでは、アカウントの後に「+○○」（丸には任意の半角英数字）を入れても、同じアカウントにメールが届く仕組みになっている

SPAM／無差別かつ大量に一括して送信されるメッセージのこと。迷惑メールもSPAMの一種

炎上度

FILE 028

「FC2」運営元代表を逮捕

2015年5月発生

「FC2」の実質的運営者を公然わいせつの疑いで逮捕

無修正アダルト動画が多数閲覧できるサイト「FC2」の実質的な運営元とされる「ホームページシステム」の代表と創業者の弟が逮捕された。容疑は性行為をライブ配信し有罪となった男と共謀し、不特定多数に動画を閲覧可能にした公然わいせつの疑い。しかし、FC2の運営母体は米国法人であることから、FC2の今後に熱い視線が注がれている。（写真は当時のFC2動画のページより）

当時の日記 2

0一4年の秋頃、日本向けのアダルト系サイト「FC2」の実質的運営会社と言われる「ホームページシステム」という会社に家宅捜索が入ったようです。その動向にネット系の人たちが熱い視線を注いでいたのですが、同社の社長と創業者の弟が公然わいせつの疑いで逮捕されたようですね。

実質的な運営会社の社長が逮捕されたってことなので、FC2のサイトがどうなっているのかを見にいったんですが、FC2アダルトは通常運転。相変わらず無修正のアダルト動画があがりまくっている状態なんですよね。それを見る限り、これだけ騒がれてもサーバはアメリカにあるし、FC2の諸権利もアメリカの会社が持っているんだからサイトの運営には問題ないってことなんだなぁ、と。

そして、こうやって何事もなくサイトが運営できていると、そもそも実質的運営会社という〝設定〟が嘘じゃん……という話になっちゃうわけです。なので逮捕した京都府警は、なんとかしてアメリカの運営陣を止めないとメンツにかかわるのではないかと。

ただ、アメリカという国は、アメリカの法律に触れてなければアメリカ人を逮捕しない国だったりします。アメリカでは無修正のアダルト動画を配信してもなんの問題もなかったりするわけで、ラスベガスにあると言われているFC2の会社の社長やら創業者やらを逮捕するのはかなり難しいんじゃないでしょうか。問題視する声もあったそうですけど、日本人が日本国内でアメリカの法律を適用されて逮捕されたりしないわけで、これって至極当たり前の話なんですよね。

というわけで、これからアメリカの法律と日本の警察が戦うのか、それともインターポール的なもので国際的なやりとりが行われるのか。まかり間違って**創業者やアメリカ人の社長**が日本にわざわざやって来て逮捕されるのか？

そんなところが、今回の事件の見どころなんじゃないかと思っています。

（SPA!2015年5月19日号に掲載）

創業者やアメリカ人の社長／掲載当時のFC2代表はDEREK G ROWLEY氏だが、創業者は逮捕された高橋人文容疑者の兄の理洋氏

炎上度

FILE

029

ドローン放送の少年を逮捕

2015年
5月発生

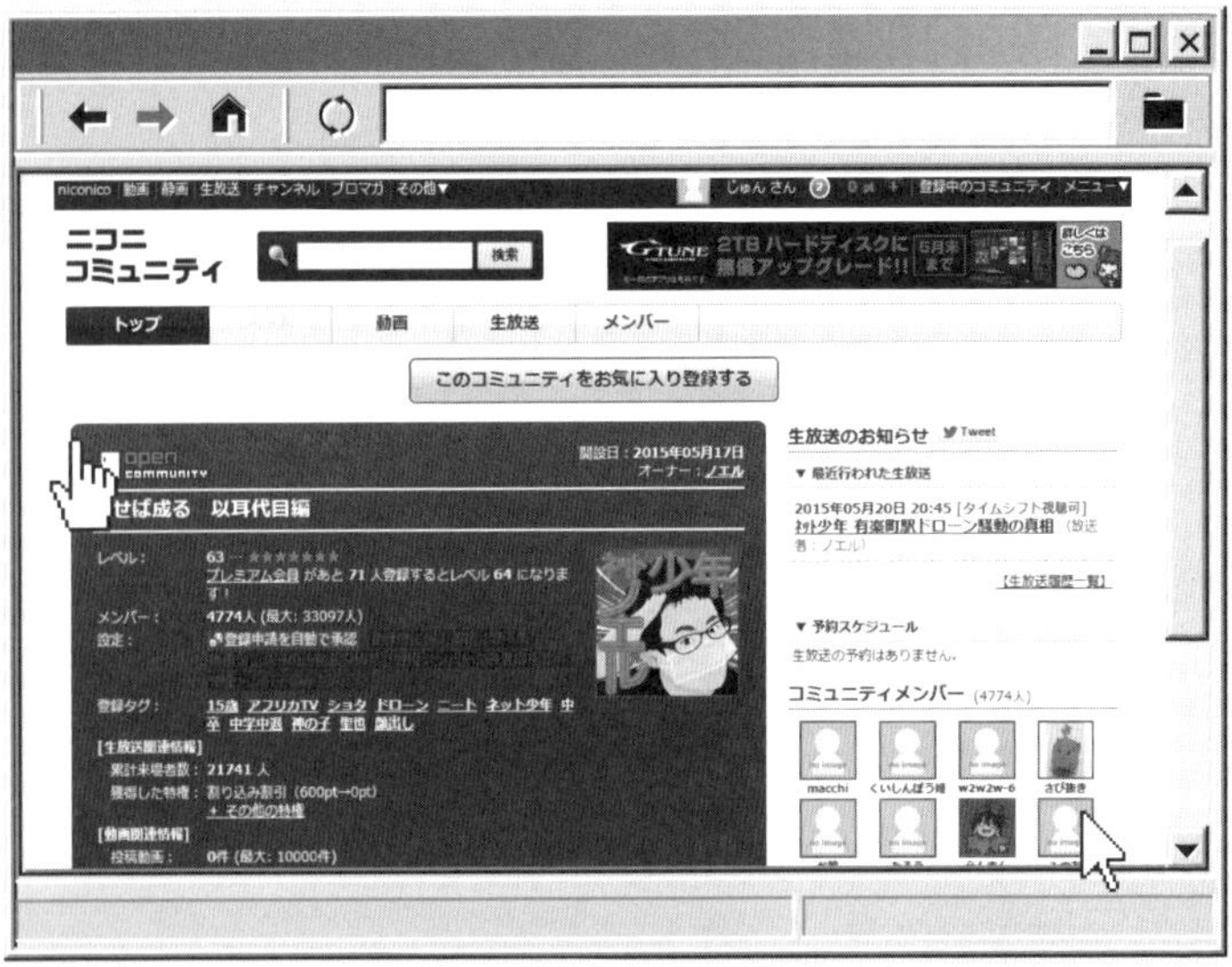

ドローン放送の少年を逮捕、支援者の存在も明らかに

浅草の「三社祭」でドローンを飛ばすことをネット上でほのめかした少年が威力業務妨害の罪で逮捕された。少年は過去にドローンを利用したネット中継を行い、善光寺の御開帳時に境内にドローンを落下させただけでなく、国会議事堂の近くなどでも飛ばそうとして警視庁から注意を受けていた。少年はネット上では有名な人物で、支援者も存在したという。（写真は当時の「ニコニコミュニティ」）

当時の日記

この連載でも取り上げた、動画配信などで**物議をかもし続けていた少年**が、警視庁に逮捕されました。

でも、「具体的に何が法律に触れたのか」ってのは、結構難しいんですよね。そもそもドローンを飛ばすこと自体は違法ではないですし、公道でインターネット配信するのも違法ではないです。今回は浅草の三社祭をドローンで撮影して放送しようとしたみたいですが、社屋とか誰かの敷地内であれば所有者の許可がないと不法侵入になりますけど、三社祭の大行列って公道で行われるので、そうではないんですよね。

なので、「主催者にドローンを飛ばすことを禁止する張り紙を作らせたり、警戒を強化させたりして業務を妨害したとして、威力業務妨害」という内容だけだと、オタ芸禁止って書いてるライブで「オタ芸やろーぜー」と宣言してライブに来た人をいきなり逮捕するってことすら可能になったりします。

以前、パチンコで「体感器」を使って大当たりを出した人が、逮捕される前に体感器の自爆機能を使ってぶっ壊したので不起訴になったという事件がありました。パチンコ店には「体感器禁止」と書いてあっても有罪にはできなかったわけです。同じように今回の少年はドローンを飛ばしてもいないのです。

少年の行動を支援する仕組みとかも問題視されているみたいですが、少年はそもそも銀行口座を公開していたわけなので、支援の仕組みを止めるには銀行口座の公開を違法にするとか、むちゃな仕組みを導入しないと防げないと思うんですよね。

高校にも行かずに、こういった形で騒ぎを起こすことで生計を立てようとした少年を保護・更生するってのは、社会としては必要なことだと思います。でも、川崎の事件のときにいち早く現場に行くジャーナリスト的な行動力や、警察相手に啖呵を切る度胸とか能力は高いと思うんです。やり方次第では社会に迷惑をかけないかたちでユーチューバーみたいに好きなことで食っていけるのでは、と思うんですけどね。

（SPA！2015年6月9日号に掲載）

物議をかもし続けていた少年／逮捕された少年は、ニコニコ生放送やツイキャス、アフリカTVなどを利用して生中継を行っていた。2015年2月に発生した川崎市中1男子殺害事件でも、加害者である少年の自宅前から少年の両親の顔や車のナンバーなどが確認できる生中継や、被害者少年の通夜会場からの生中継で物議をかもしていた

炎上度

FILE 030

2015年
10月発生

元「少年A」メルマガ凍結

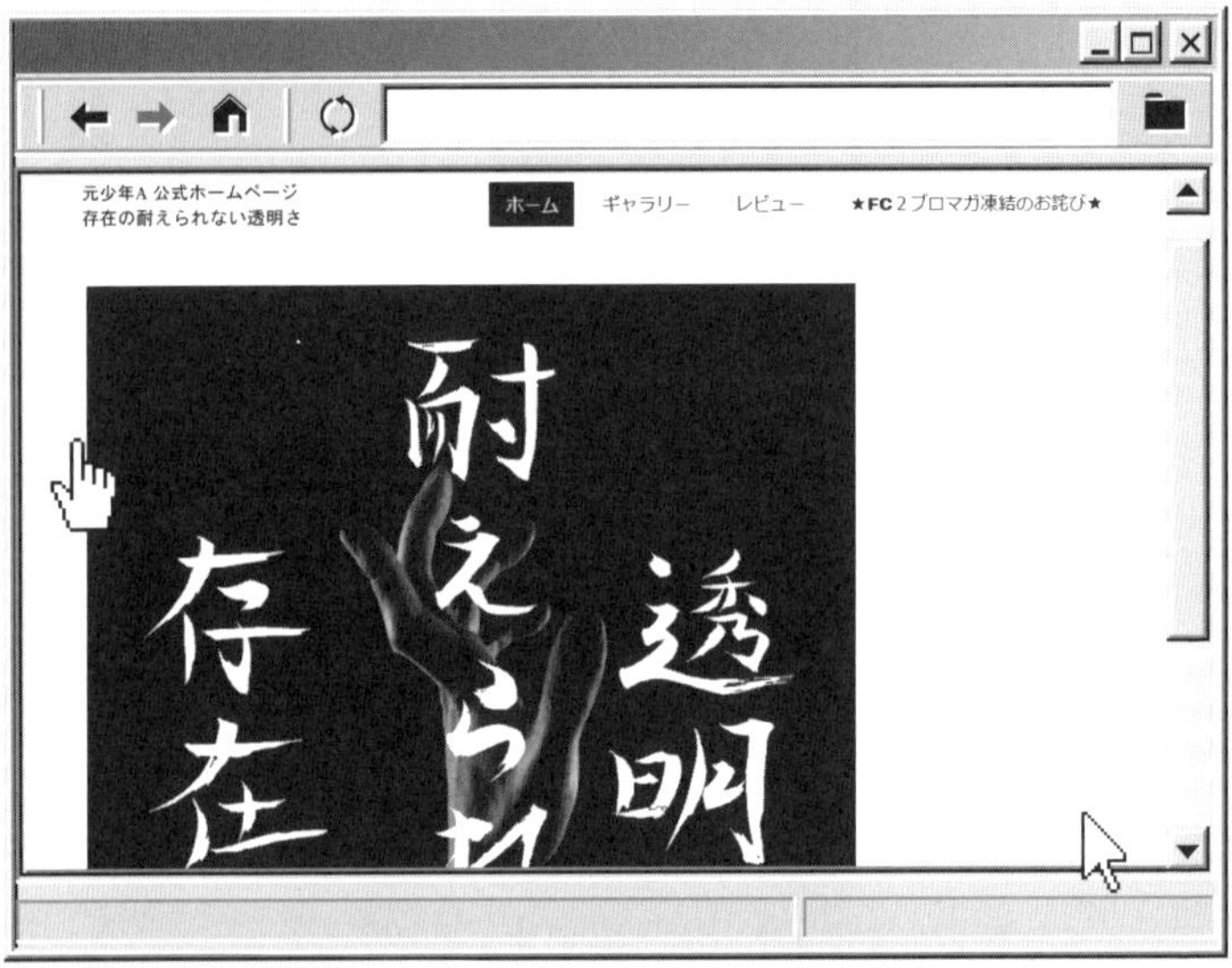
元少年A 公式ホームページ
存在の耐えられない透明さ
ホーム
ギャラリー
レビュー
★FC2ブロマガ凍結のお詫び★
存在
透明

元少年Aがメルマガ創刊、批判殺到で即凍結される

かつて神戸連続児童殺傷事件で世間を震撼させた元少年Aが、2015年に手記を出版し、さらにネット上での活動も活発化。公式ホームページ開設だけでなく月額800円で有料メルマガの配信も始めた。この動きに、ネット上では「犯罪歴を使った金儲け」などと批判が殺到。メルマガ配信サービスを運営するFC2により発行が凍結され、ネット上では賞賛の声があがっていた。（写真は当時の「元少年A公式ホームページ」）

当時の日記

――

1997年に起きた神戸連続児童殺傷事件の元「少年A」が手記を出版したんですけど、そのあとには有料メルマガを始めたってことが話題になっています。

結局、そのメルマガは「規約上の違反があった。多数のユーザーに迷惑をかける行為を行った」という理由から、配信サービスを運営している**FC2によって発行停止**になったらしいのですが、ネット上とかでは、発行停止になったことを賞賛する声があがったりするみたいです。

でも、個人的には文句を言ってメルマガ発行を止めるって手段は上策じゃないよなぁ……と思っています。なぜなら、海外のサービスを使って発行したり、課金をPayPalとかにして自分で発行したりすると、止められない可能性が高いからです。

ではどうしたらいいかって話なのですが、アメリカの場合だと、犯罪者がその後に手記などを出して利益を得たときには、被害者や遺族の賠償に充てられるって法律があるそうなんですよね。なので、日本でもそういう法律を作ったほうがいいんじゃないかと思ったりするわけです。

元少年Aは、太田出版から手記を出版していて、25万部くらい刷られて世の中で普通に流通しているわけで、もはやメルマガどうこうってレベルじゃないお金が入るわけです。つまり、メルマガが一社から発行できなくなったからといって、なんも解決してない。

ちなみに個人的な意見を書いてみると、おいらは、特殊な犯罪を起こした人はいろんな手段で手記なり本なりを残したほうがいいと思っています。というのも、「どういう人が、どういう考えで、そういったことを起こしたのか?」という原因を知る手段はそんなに多くないので、犯罪研究の材料が増えたほうがいいと思うからです。なので、手記は出版していいしメルマガも出していいけど、利益は被害者が持っていくって法律を作るほうが、いろんな意味で社会にとっていいと思うんですけど、なぜそうならないんですかねぇ。

（SPA!2015年11月3日号に掲載）

FC2によって発行停止／元少年AはこのFC2が提供する「ブロマガ」というメールマガジン配信サービスを利用していた

現在のひろゆきが振り返る2015年

海外サーバを持つ会社と当局の終わりなき「いたちごっこ」

2022年には参議院選挙に出馬するなど、現在もネット上を賑わせている人物である高橋理洋さん。彼は動画配信やホスティングなどのウェブサービスを展開する「FC2」の創業者で、現在は経営を退いています。

そのFC2の実質的な運営元とされる日本企業「ホームページシステム」の代表と創業者の弟が逮捕されたのが、2015年でした。「創業者の弟」とは、高橋理洋さんの弟である高橋人文さんです。

容疑はFC2を利用して性行為をライブ配信し有罪となった男と共謀して、不特定多数に動画を閲覧可能にした公然わいせつ罪などでした（のちに懲役2年6月、執行猶予4年、罰金250万円の有罪確定）。

FC2を知らない人は少ないと思いますが、念のため説明すると、多くのアダルト動画が掲載されている動画サービスを運営しているアメリカの企業です。ただ、FC2のサイトを見てもらえるとわかるのですが、明らかに日本向けのサービスを展開しています。

海外企業が日本向けのサービスを行うのは普通のことですが、それら企業の取り締まるのは、本社のある企業やサーバが置いてある国になります。

つまり、アメリカから無修正のわいせつ動画を日本向けに配信した場合、それが犯罪であるかはアメリカで判断されます。しかし、アメリカは無修正のわいせつ動画を配信しても問題ない国なのですね。たとえ日本向けであったとしても検挙には至りません。

日本の警察としてはサーバが海外にあるFC2をわいせつ容疑で取り締まるのは難しかったので、事実上の運営をしているホームページシステムに白羽の矢を立て、運営を止めようとしたのだと思います。

資金源であるユーザーの決済を止めるのは有効なのか？

僕はアメリカで野放し状態になっているサービスを、日本側から規制したり罪を問いたりするのはほぼ無理だと思っています。

例えば、最近はサービスをつぶすために資金源となるユーザーからの課金を止めるべく、クレジットカード会社に掛け合って決済を止めてもらい、実質的につぶそうとします。

これはもともとアメリカで行われていた手法ですが、実際に２０２２年末に警視庁がＶＩＳＡ、Ｍａｓｔｅｒｃａｒｄ、ＪＣＢの３社に「ＦＣ２でのクレジットカード決済を止めほしい」と要請を出したことがニュースになりました。

しかし、ＪＣＢとＶＩＳＡの決済は止められたものの、Ｍａｓｔｅｒｃａｒｄや他のクレジット決済は止められなかった。警視庁は海外の決済会社に対して何の権限も持っていないので、完全につぶすことができなかったのです。

結果としてサービスが生き残り続け、本来は日本の決済会社が使われて国内に税金が落ちていたのに、海外の決済会社に売り上げが落ちるだけの状況になってしまいました。

つまり、警視庁がやったのは単に日本が損をするようにしただけです。

さらに言えば、決済サービスならユーザーを捕捉できますが、それすら使えなくなり仮想通貨での支払いなどに流れたりすると、当局が捕捉できない面倒な状態になってどんどんアングラ化していく可能性もあるわけです。

法律を守る日本の会社を尻目に海外の企業ばかり儲かる

反対に、海外は児童ポルノに対して非常に厳しいです。そのため、児童ポルノとおぼしきわいせつイラストを掲載している日本のサービス・ｐｉｘｉｖは、クレジットカード決済を止められたことがあります。

一方で、ＦＣ２のような成人アダルトに関してはアメリカの法律上では何の問題もないので止められない。その結果、日本の会社は法律を守って国内でサービスを展開しているのに、「日本の法律を守らない海外の会社のほうが強い」という結果になってしまいます。

例えば、訪日中国人向けのＵｂｅｒのような白タクサービスがあります。もちろん、中国人が中国で運営をしている会社ですが、訪日した中国人はそのサービスを使います。日本人はそれを使わないし、知りもしないので問題視しません。しかし、そういったかたちで中国人が中華版Ｕｂｅｒのようなサービスを日本国内で行い、日本のタクシー会社にも日本のＩＴ企業にもお金が落ちないという構造が生まれています。

FC2の問題も同様ですが、規制が厳しすぎることから最終的に他国の企業が得をするということをやり続けているのはいかがなものか、と。

では、この現状をどう変えていけばいいのか。僕が思うに、方法は2つです。

ひとつは、規制のレベルを海外に合わせる方法です。それによってFC2のような会社には日本のクレジット会社で決済をさせて、きちんと税金が国内に落ちるようにする。

そして、もうひとつはブロッキングです。日本でも中国のように国が許可をした先にしかネット上でアクセスできないようなファイアウォールを築いてしまい、法律に引っかかるサイトにアクセスできないようにする方法です。

ただ、規制レベルを海外に合わせるのは、頭の固い日本の決定権を持つ人たちがスムーズに動けるとは思えません。だから日本の法律で国内産業を守っていきたいのであれば、もうブロッキングしかないと、個人的には思っているのです。

BACK TO

2016

FILE 031 バラエティ番組炎上騒動

FILE 032 不正プログラム作成少年を逮捕

FILE 033 熊本地震ネットデマ拡散事件

FILE 034 流行語大賞「はやってない」炎上

FILE 035 医療情報サイト「WELQ」問題

炎上度

FILE 031

2016年6月発生

バラエティ番組炎上騒動

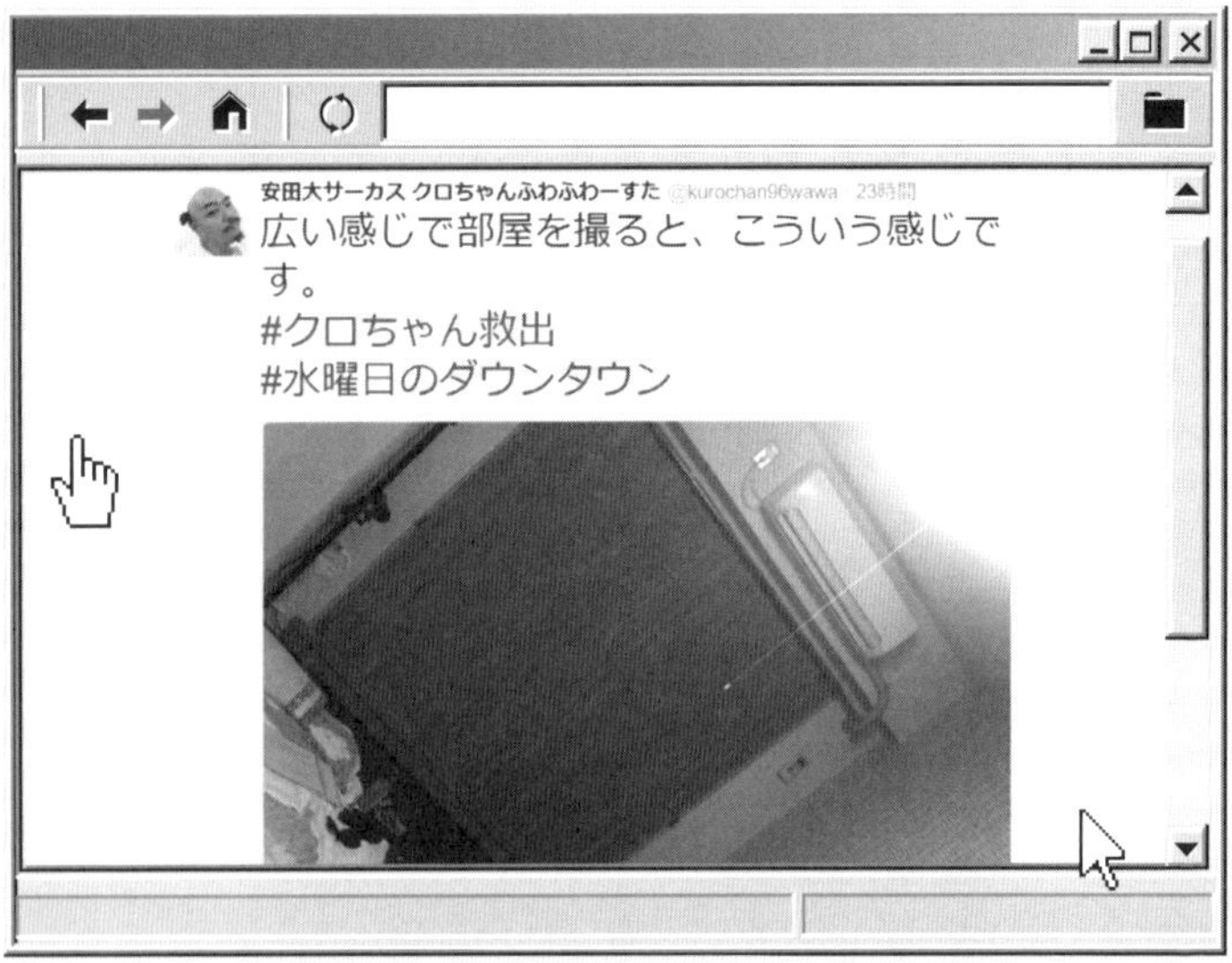
安田大サーカス クロちゃんふわふわーすた @kurochan96wawa 23時間
広い感じで部屋を撮ると、こういう感じです。
#クロちゃん救出
#水曜日のダウンタウン

ネット利用のテレビ企画、リアル騒動に発展で中止に

TBSの番組「水曜日のダウンタウン」の企画がネットの影響により中止となった。マンションに閉じ込められた芸人が、現場到着までの様子や閉じ込められた場所の状況をツイッターで公開し、ユーザーが救出するという企画だったが、ユーザーの誤特定により無関係の場所に人が集まり、一般人に迷惑がかかるなどの問題に発展。局側が自主的に企画中止を発表した。(写真は当時のツイッター)

当時の日記

子供の頃は一般市民がターゲットになっているドッキリ映像とかをテレビで観た気がしますが、最近は外国製の番組でしか観ないですよね。見かけるとしても、ユーチューブとかで外国人がやっているような動画くらいで。

昔、誰もがテレビを観ていた頃は、好調なバラエティ番組にはよく親御さんから非難されたりする内容がありました。しかし、批難されてもそのまま放送を続けていた気がするんですよね。ところが、若い人がテレビを観なくなってからは、テレビ番組の影響に配慮して自主規制されることが増えた気がします。

一方で、MTVでは昔、**『ジャッカス』**という、まあ悪趣味で酷い番組を放送していたのですが、そっちは映画化されて日本でも劇場公開されたりしています。しかし、外国の番組だからか、「日本のMTVで放送するなんてけしからん！」みたいな意見はまったく聞きませんでした。なぜなんですかね。

そんな折に、閉じ込められた芸人さんをツイッターだけで探せるかという企画をTBSがやったら、ツイッター上で探した人たちが間違えてマンションに10人ぐらい集まっちゃったりして、問題化して企画自体が中止されてしまったようです。

テレビを観ている人数は減っているのに、ネット上でほんの一部の人が騒いだりすると問題になっているように見えるので、さらに、文句をつける口実ができやすかったりします。文句をつけること自体が目的化してる人が、それなりにいる気もします。

そう考えると、「観ている人が少ないし影響も少ないから、ウチは狂ったことをします！」みたいな突き抜けたところが日本のテレビ局から出てくると面白いと思うんですけど、なかなか難しいんでしょうねぇ。

とはいえ、この企画がトラブルを起こしてまで続けるほど面白いものなのか？って考えると、そんなでもない気がするんですよね。

探している側も見えなければ、探されている側が困ってる感じも出ていないですし。

（SPA!2016年6月21日号に掲載）

『ジャッカス』／2000年から2002年にかけ、アメリカで大人が本気でいたずらをする趣旨で制作されていた番組。その内容は、街中の噴水でカヤックに乗る、屎尿処理槽へのダイブ、ショットガンで放たれたゴム弾に撃たれるなど危険なものも多いが、そのリアクションに注目が集まり人気に。その他にも街頭でのドッキリ企画などが行われていた

炎上度

FILE 032

不正プログラム作成少年を逮捕

2016年6月発生

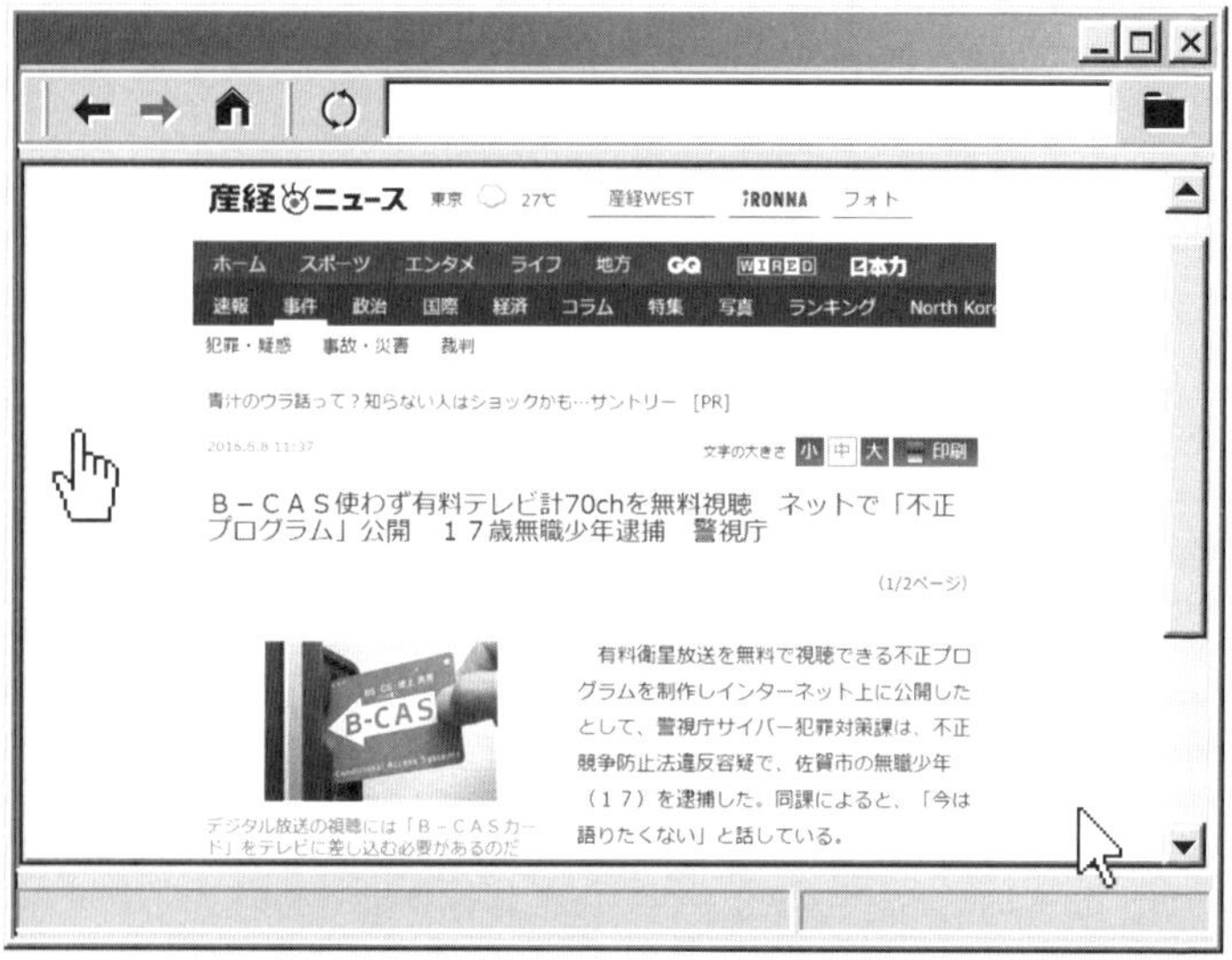
産経ニュース　東京　27℃　産経WEST　iRONNA　フォト
ホーム　スポーツ　エンタメ　ライフ　地方　GQ　WIRED　日本力
速報　事件　政治　国際　経済　コラム　特集　写真　ランキング　North Kor
犯罪・疑惑　事故・災害　裁判
青汁のウラ話って？知らない人はショックかも…サントリー　[PR]
2016.6.8 11:37
文字の大きさ　小　中　大　印刷
Ｂ－ＣＡＳ使わず有料テレビ計70chを無料視聴　ネットで「不正プログラム」公開　１７歳無職少年逮捕　警視庁
(1/2ページ)
B-CAS
デジタル放送の視聴には「Ｂ－ＣＡＳカード」をテレビに差し込む必要があるのだ
有料衛星放送を無料で視聴できる不正プログラムを制作しインターネット上に公開したとして、警視庁サイバー犯罪対策課は、不正競争防止法違反容疑で、佐賀市の無職少年（１７）を逮捕した。同課によると、「今は語りたくない」と話している。

不正公開で逮捕の少年、その技術力に驚きの声

17歳の無職の少年が有料衛星放送を不正に視聴できるプログラムをネット上に公開し、逮捕された。これだけなら炎上はなかったが、なんと少年は文献などを読み漁り、同プログラムを独学で作成していたという。その内容にネット上は騒然。「天才かよ、国で雇え」「グーグルに入社可能な逸材」など、少年の技術力の高さを活用すべきといった声が上がっていた。（写真は当時の「産経ニュース」）

当時の日記

時価総額が世界一の上場企業はアップルですが、その会社を立ち上げたスティーブ・ジョブズとスティーブ・ウォズニアックは、電話を無料でかける機械も作り、売りさばいて儲けたりしていました。1970年代のアメリカの話ですが、もちろん違法です。その後、なんやかんやとありましたが、スティーブ・ジョブズも今では尊敬される経営者として名前が挙がっていたりします。

それはさておき、日本では衛星放送をBCASカードなしで視聴できるプログラムを独学で開発し、ホームページで公開した少年が逮捕されました。テレビ局やメーカーの大人たちが知恵を絞り大金をかけて作った装置を、ネットにある情報を駆使して抜け穴を見つけちゃったわけです。

ネットでは少年を褒める意見が多いみたいですけど、世間的には「パソコンを使って違法なことをした得体のしれない悪いヤツ」という評価をされるのが日本だったりします。これがアメリカだと、**ナップスター**を作ったショーン・パーカーは16歳のときにクラッキングを行ったことでFBIに逮捕されましたけど、後にフェイスブック初代CEOになっています。

この差を見ると、技術で生きていくのであれば日本にいないほうが、報われる可能性が高いのではないかと思うのです。もちろん優秀な若者がきちんと評価されて、何か成果が残せるような社会にしたほうがいいとは思いますが、Winnyの金子さんの例にもあるように日本では難しいのかもしれません。

それ以外にもどんなにいいスキルを持っていても処世術は必須だし、社会に馴染めないとアウトだったりするし、不倫がバレたり薬物で逮捕されると優秀な人でも干されるのが日本なんですよね。これが、アメリカだと薬物中毒で逮捕歴もあるのに大人気の俳優とかもいるわけです。

報道によると、少年は学校に行ってないようですが、そのまま社会からドロップアウトしちゃったりすると、非常にもったいないですね……。

（SPA!2016年6月28日号に掲載）

ナップスター／1995年に公開されたファイル共有サービスのこと。2003年に運営会社が倒産し、同サービスは他社に売却。すでに著名であったことから、後に同ブランド名を利用した音楽配信サービスが開始された

炎上度

FILE 033

熊本地震
ネットデマ拡散事件

2016年
7月発生

enjoy勢ななほし
フォロー
おいふざけんな、地震のせいで
うちの近くの動物園からライオン放たれたんだ
が
熊本

ネットでデマを拡散し逮捕に、「逮捕はやりすぎ」の声

「地震で動物園のライオンが逃げた」。そんな内容のデマを熊本地震の発生直後にツイッター上へ投稿した20歳の男が逮捕された。この投稿により、熊本市動植物園では、投稿直後から100件以上の問い合わせが寄せられるなど、業務に支障が起きていた。ネット上では逮捕に納得の声がある一方、「これで逮捕されたらネタも書けない」など批判的な声もあった。(写真は当時のツイッター)

当時の日記

最近はネット上で爆破予告とか殺人予告とかをして逮捕されることに驚かなくなったと思います。しかし、ネット上でデマを流せば、実行しなくても警察や警備員が動いたり近隣の人が逃げたりと社会はいろいろな迷惑を被るので、当然、逮捕されてしまうわけです。

今回も嘘ツイートを写真付きで投稿した男性が逮捕されたわけですが、**迷惑をかけた**ので「逮捕されて当然」とか「逮捕はデマを流す抑止力になる」とか冷静な意見もあったりする半面、「こんなんで逮捕されるのか?」的な感じで納得できない人もいるみたいです。

たしかに東日本大震災のときに「サーバーの下敷きになって血だらけで動けない」などとツイートした人が**逮捕されなかった**例もあります。ただ、このケースでは警察が動いたり、避難する人や被害届を出す人がいなかった。その違いが大きいのかと。

どちらにせよ、デマを流すのは頭が悪くてネット上で注目を浴びることに喜びを感じちゃう人なので、普通の人がやらないようなことをして目立とうとします。頭が悪いだけに一線を越えちゃうし、過去にデマを流して逮捕された事件とかも知らなかったりする。同じようなことをやらかして逮捕されて、人生ハードモードに入っちゃったりするわけです。

ちなみに、今回逮捕された人は20歳だったので、数か月前だったら未成年で実名報道もされなかったんですけどね。

ツイッターのフォロワーとかリツイート数が増えても、生活するうえではメリットもないので、そのためにリスクを負うとか、頭が悪い行為はやめたほうがいいです。ただ、こういう文字だけのコラムとか頭の悪い人は読まなそうだし、ここで書いてもしょうがないよなぁ……とも思ったり。

「頭の悪い人がなぜ犯罪をするのだろう?」という疑問と同じで、ネットでのデマを減らすには教育に地道にお金かけるしかないんじゃないかと思ったりする今日この頃です。

(SPA!2016年8月9日号に掲載)

迷惑をかけた／熊本市動植物園が獣舎などの点検がスムーズに行えなかっただけでなく、警察にも「ライオンが逃げているので避難できない」といった相談が相次いだ

逮捕されなかった／2011年の東日本大震災発生時、某IT企業に勤務する男性が「サーバーが倒れ下敷きになった。血が出て動けない」といったデマをツイートして大炎上

炎上度

FILE 034

流行語大賞
「はやってない」炎上

2016年
12月発生

2016年流行語大賞決定も「はやってない」で炎上

もう誰も覚えていないだろうが、2016年の流行語大賞は「神ってる」だった。しかし、この結果にネット上では疑問の声が。事実、検索ボリュームを測るGoogleトレンドにおいても、「神ってる」はノミネートされた他の流行語と比べても検索量は少なく、「PPAP」や「ポケモンGO」のほうが多い結果だった。このような状況から選考基準などに対して疑問の声が溢れた。（写真は当時の「ユーキャン新語・流行語大賞」のホームページ）

当時の日記

都会で育った人が持つ感覚の一つに、一軒家に住まないってのがあると思います。生まれたときから団地とか借家に住んでいて、一軒家に住んだことがない人は、僕らの世代だと少なくないと思うのですね。僕も東京都北区赤羽の団地群のなかで育ったわけですが、クラス40人のうち一軒家に住んでいたのは3人とかだったので、そういう比率が当たり前だと思っていたわけです。

ところが、テレビだと『サザエさん』とか『ちびまる子ちゃん』とか、一軒家に祖父母と孫の三世代が同居する家庭を見ることが多かった。だから「テレビでやっているくらいだから世の中の〝普通〟は『サザエさん』なんだろうなぁ……」と思っていたわけですが、実際には2015年における三世代同居の割合は、6・5%しかないそうです。

こんな感じで、体感的にはかなりの少数派だとわかっていても、世間的には「これが普通」って思い込んでいることって、実は多いんですよね。

野球とかでも同じことがありまして。日テレの巨人戦中継が低視聴率で打ち切りになるかもといった話がニュースになったりしていましたが、普段はまったく興味がないって人のほうが多かったりします。今どきの20代はテレビをまったく観ない日がある人が40%を超えたりするわけで、ただでさえ、「テレビはそんなに観ないのに、野球なんて全然観ない」って若者が多数派な昨今だったりするわけです。

そんななか「流行語大賞」で「神ってる」が大賞になったのですが、ネットでは「聞いたことないんだけど」とか、「また野球のごり押しか？　**やくみつるいい加減にしろ**」とか、ひどい言われようです。

しかも、その流行語大賞の選考委員なんですが、全員50歳以上なんですよね。

そんな感じで生活習慣は世代によって完全に違うんですけど、こういうのを見るとテレビの世界ではいまだに野球用語をみんな知っているっていう幻想のなかで作られているんだなぁ……と思われちゃいますよね。

（SPA！2016年12月20日号に掲載）

やくみつるいい加減にしろ／流行語大賞の選考委員に、野球ファンで漫画家のやくみつる氏が入っていることからネット上では同氏に非難が集まっていた。同氏は当時、「流行語が世間とズレているのでは？」との疑問に対し「難しい専門用語が入っているわけでもありません。『ニュースぐらい見ろ』と言いたいですよ」などとコメント

炎上度

FILE

035

医療情報サイト「WELQ」問題

2016年
12月発生

「ネット情報信頼できない」 DeNA会長発言が炎上に燃料投下

医療情報サイト「WELQ」で不正記事が相次いで発覚し、サイトが休止する事態になった。運営元であるDeNA会長の南場智子氏は、記者からの闘病に絡んだ質問に「ネット情報はそれほど役に立たない、信頼できないと思った」と述べた一方、「毎日、同じ患者さんのブログはチェックした」と回答。これにネット民は過敏に反応し、炎上が拡大する事態に。（写真は当時のDeNAのホームページ）

当時の日記

寒い季節になりましたが、ネット界隈ではDeNAが運営するサイトが嘘だらけで、しかもそれが医療情報だったため、「どうするのこれ?」というお寒い状態になっています。

今回の件は、役に立たないものを故意にお金を払って作っているわけですが、これって本質的にはSPAMと一緒だと思うのですね。

ちょっと前に、フェイスブックにやたらとサングラスの広告が出るって問題があったんですが、これと同じで、結局は邪魔な広告でしかないわけです。「サングラスを買いたい人にとってはお得な情報だ」という言い分もあるでしょうが、一般的にはSPAMと見なされても仕方のない存在です。

そして、今回の「WELQ」をはじめ、キュレーションサイトと呼ばれるシステムは、役に立つ情報を載せているわけでなく、検索エンジンで上位にヒットさせるための文章をいっぱい作っているだけです。サングラスの広告と同じで、なかには「役に立った」という人もいるかもしれませんが、基本的には検索エンジンにキーワードをうまく拾わせて**広告を表示するためのSPAMサイト**なわけです。

そう考えると、DeNAの件が発端となって、リクルートやKDDIなど、「みんなで**SPAMをしてました**」って事実がわかったという話で。

さらに「ネットはウソばっかり」みたいな話が出ていますけど、ネットにある情報って昔からウソが多いんですよね。ただ、医学系の論文やら、きちんとしたサイトもあるので、上手に使いこなせば有用な情報はすぐに見つけられるようになっていたりします。

「ネットはウソばっかり」と言う人は、その人の見ているレベルのものがウソばっかりってことだと思うんですよね。個人的にはヤフー知恵袋とかで検索している人ってアホだと思っているのですが、世の中には結構、それを参考にする人がいるらしく……。「誰なのかもわからない、根拠すら不明な回答を真に受けるとかすげーなぁ」と思う昨今です。

(SPA!2016年12月27日号に掲載)

広告を表示するためのSPAMサイト／外部ライターに質より量の記事を作成させることで検索サイトで見つけられやすい状態をつくり、PVを稼いで広告収入を得ていた

SPAMをしてました／WELQ問題が発覚後、リクルートやサイバーエージェント、ヤフーなど大手企業が運営するキュレーションサイトからも記事が削除された

現在のひろゆきが振り返る2016年

「WELQ」問題を契機に考える有名経営者たちの人間的本質

「ネットの情報はウソばかり」という声は少なくないですが、実際にネットには昔から嘘の情報が多いです。もちろん、まともなサイトも多々あります。しかし、ウソばかり書かれているサイトを参考にしてしまう人が多いのも事実。

ウソをウソと見抜けない人には、ある意味でネットは危険なわけです。

そんな危険なサイトのひとつに「ココロとカラダの教科書」を題材とした医療キュレーションサイト「WELQ」がありました。WELQは病気の概要や治療法、病気を予防する健康食品など、医療に関する情報を掲載するサービスです。

しかし、その記事は専門的な知識を持った医師などではなく、運営元がネット経由で募集をした一般人がライターとして書いていた。よってトンデモ記事も多く、「肩こりの原因は、怨霊の仕業」など驚くような記事も普通に掲載されていたのですね。

そんなわけで、「ニセ情報を垂れ流してカネ儲けするとはけしからん！」と、WELQを運営していたDeNAが大炎上。WELQを閉鎖するだけでなく、同様の手法で運営していたすべてのサイトを閉鎖する事態になりました。

⚠ キュレーションサイトで長期的に儲けるのはムリ？

当時、WELQの責任者はDeNAの執行役員をしていた村田マリさんという女性です。WELQを立ち上げた人物ではないものの、住まい・インテリア関連のキュレーションサイト「iemo」を立ち上げてDeNAに売却し、その後はDeNA執行役員としてキュレーションサイト全般を統括する立場でした。

炎上を受けてDeNAが開いた会見では、会長の南場智子さんと社長兼CEO（当時）の守安功さんが出席していたのに、村田さんは顔も見せなかったので批判されたりしていましたね（村田氏は2017年に同社役員などを辞任）。

そもそもキュレーションサイトというのは、グーグルの検索に引っかかるようにSEO対策されたSPAMみたいなもの。実際に当時は「肩こり」と検索するとWELQのトンデモない記事が検索結果の上位に出ていたらしいです。

しかし、グーグルがトンデモ情報を載せているサイトを上位に表示し続けるわけもなく、当然ながら対策をします。検索アルゴリズムの変更によって上位表示されなくなってしまうので、そうなればトンデモ記事だらけのキュレーションサイトに価値などありません。SEOの力に頼った広告収益も減ります。

つまり、キュレーションサイトで長期的に儲け続けるのは難しいので、大手企業を騙して早めに売却をするのは、ある意味で頭のいい選択だったりします。村田マリさんもそこらへんは織り込み済みだったのではないかと。

だからといってトンデモ記事を載せていいわけではありませんが。

ひろゆきが考える 有名経営者の「人間的本質」

こうして、WELQ問題では〝ババ〟を引くかたちになったDeNAですが、個人的には南場智子さんは、日本では有数の経営者だと思っています。

というか、事業をイチから立ち上げて上場までした女性経営者は誰かと問われたら、僕が連想するのは、下着通販の「ピーチ・ジョン」の野口美佳さんとDeNAの南場智子さんしかいません。もちろん、上場させた女性経営者はほかにもたくさんいるでしょうが、ビジネスとして普通にいい商品やサービスを提供し、社会をよくしたというイメージを抱く女性経営者を、僕はこの2人しか知らないのです。

ただ、野口美佳さんは結婚して子供ができたことで会社をワコールに売却し、南場智子さんは家庭の事情で一度は経営から離れていました。つまり、おふたりとも仕事ができる超優秀な方だけど、最終的にはプライベートの幸せを選択したわけです。

そういう意味では、男性の有名経営者の姿勢とはずいぶん違いがあります。

孫正義さんや三木谷浩史さんはプライベートの情報がほぼ知られていない人たちなので、これからもずっと働き続けるでしょう。

堀江貴文さんもそうですが、こういった経営者としてとんでもない数字を叩き出せる人は、能力値が抜群に高いことに加え、ある意味でどこか感性が〝おかしい〟気がするのです。

僕が知る限り、普通に生活するうえでは年収が2億円を超えるとそのお金を使いきることができず、増える一方になります。だから「もっと頑張って年収を3億円にしよう」というモチベーションなど湧きづらいのです。

「このビジネスは長く続かないかもしれない」という恐怖心ならまだ理解できますが、同じビジネスを10年もやっていたら「これはずっと続くだろう」と理解できる状態になります。それでも上を目指すのは、もはや超自然的というか精神世界の話でしょう。

そして、たぶんそのメンタルを支えるのは、「アイツに勝ちたい」とか「世界に俺の名を轟かせたい」という承認欲求であり、言い換えるならば「ロックミュージシャンのようになりたい」という欲望と同じだと思うのです。

一方で、女性は人間として〝まとも〟なので、ある程度まで行くとプライベートを大事にするのかもしれません。要は仕事がすごく楽しくても「家族が大事」となれば、ちゃんと家族に振り向けるという人間としての感覚を持ち続けている。そういう意味では僕もまともなほうじゃないですかね。

これは女性政治家が少ないことと、同じ原理だと思っています。なぜかといえば、プライベートを捨てるほどのメリットが政治にはないからです。

逆に、プライベートを捨ててまで政治家になりたい人は、元芸能人のような人くらいしかいない気がします。「まだチヤホヤされたいけど、タレントとしては需要がないから延長戦として政治家で食っていく」というパターンですね。だから、真っ当な女性は政治家にならないのではないかと、邪推をしている昨今です。

BACK TO 2017

FILE 036 キンコン西野「絵本無料公開」炎上

FILE 037「クックパッド」危険レシピ炎上

FILE 038「まとめサイト」誹謗中傷事件

FILE 039 座間9遺体事件「ツイッター規制」問題

FILE 040 チケットキャンプ炎上騒動

炎上度

FILE 036

キンコン西野「絵本無料公開」炎上

2017年1月発生

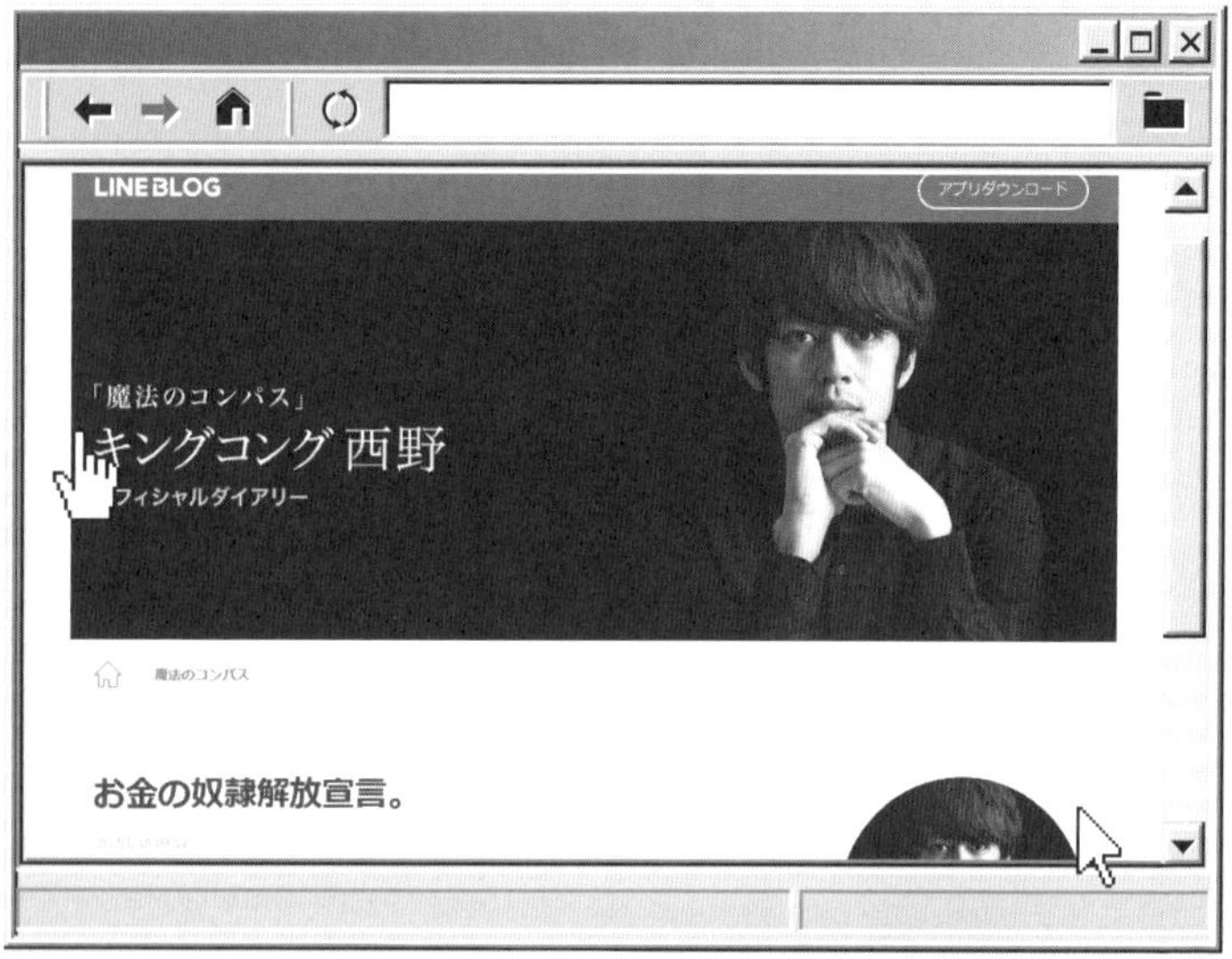
LINE BLOG
アプリダウンロード
「魔法のコンパス」
キングコング 西野
フィシャルダイアリー
魔法のコンパス
お金の奴隷解放宣言。

「お金の奴隷解放宣言」絵本の無料公開に賛否

今でも奇をてらったマーケティング手法で世の中をザワつかせる西野亮廣氏だが、2017年1月には絵本をウェブ上で無料公開して批判の声が。「お金を払った人に失礼」という声や、「無料が当たり前になったらクリエーターが仕事にならない」などのダンピング批判に対し、西野氏はブログで反論を展開していた。（写真は当時の「キングコング西野オフィシャルブログ」）

当時の日記

子供の頃からテレビやラジオに触れていたので、「面白いモノ＝無料でもビジネスが成立する」という構図は、なんとなく知っていました。最近は**「フリーミアム」**みたいな造語も出てきて、「無料で配ってから有料にすると儲かるよ！」という話がもてはやされていますが、それも子供の頃から進研ゼミの無料体験セットとかを見てきたので、「今さら当たり前のことを言われても……」と思ったりしていたわけです。

スーパーの試食も、無料で配って気に入ったらお金払って買うってモデルですし、そんなの昭和の時代からずっとありました。昭和の小学生でも理解できるような至極当たり前の仕組みを、平成が終わるかもしれない時代になってもいまだに理解できない大人がいて「世の中って多様だなぁ」と。キングコングの西野さんがネットで**絵本を無料公開**したら「クリエーターの作品がダンピングされる」と炎上しているのを見て、改めてそう思ったわけです。

販売されている音楽がＹｏｕＴｕｂｅで無料視聴できる時代にダンピングとか言う人は、価値観が昭和なんだと思うのですよ。それに、西野さんが本を無料にしようが有料にしようが、食えないクリエーターが食えないという事実は変わらないですよね。

関連したクリエーターにお金を払わなかったとかなら文句を言うのもわかりますが、誰かに損をさせたわけでもないし、無料で読めてよかったという人も増えるわけです。「お金の奴隷解放宣言。」って言葉が独り歩きしていますが、絵本を無料で配ることを言い換えただけで、たいした話じゃないかなと。

それなのに怒るってのは、西野さんが嫌いってことか、社会の仕組みがわかってないっての以外に理由が思いつかないのです。西野さんは、こういった炎上すること自体も宣伝としてうまく利用してるので、西野さんが嫌いで反応してる人が西野さんのメリットになっちゃってるんですよね。炎上しなかったら、僕がこうして扱うこともなかったでしょうし。

（ＳＰＡ！２０１７年２月14日号に掲載）

「フリーミアム」／「フリー」と「プレミアム」を掛け合わせた造語。基本的なものを無料提供し、特別な機能や便利に利用するための機能を有料にするビジネスモデル

絵本を無料公開／後年、映画化もされた『えんとつ町のプペル』（幻冬舎）のこと。様々な人たちとの共作で、クラウドファンディングにより4637万円の製作費を集めて話題に

炎上度

FILE 037

「クックパッド」危険レシピ炎上

2017年4月発生

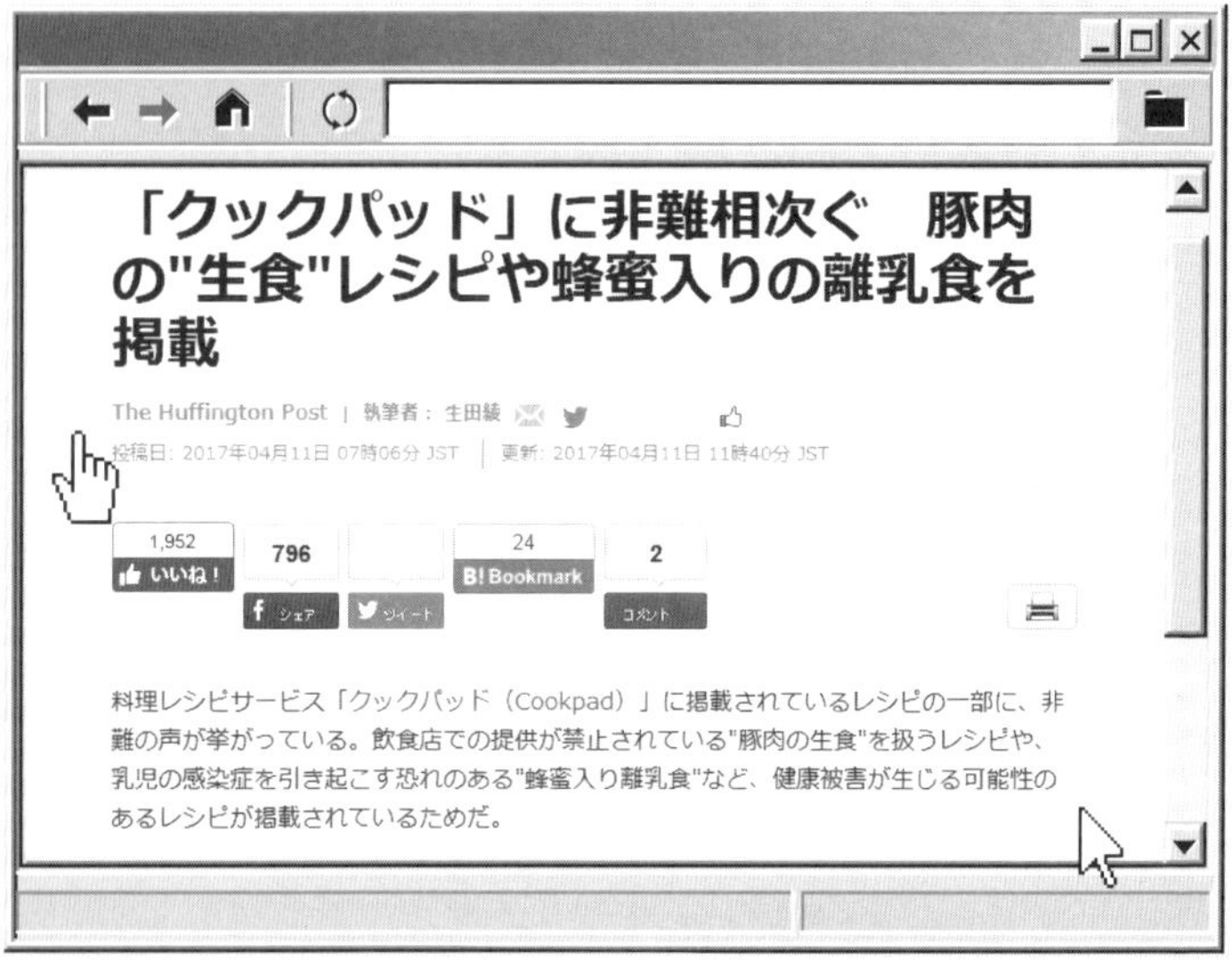
「クックパッド」に非難相次ぐ　豚肉の"生食"レシピや蜂蜜入りの離乳食を掲載

The Huffington Post | 執筆者：生田綾

投稿日：2017年04月11日 07時06分 JST | 更新：2017年04月11日 11時40分 JST

1,952 いいね！ 796 シェア ツイート 24 B! Bookmark 2 コメント

料理レシピサービス「クックパッド（Cookpad）」に掲載されているレシピの一部に、非難の声が挙がっている。飲食店での提供が禁止されている"豚肉の生食"を扱うレシピや、乳児の感染症を引き起こす恐れのある"蜂蜜入り離乳食"など、健康被害が生じる可能性のあるレシピが掲載されているためだ。

豚肉生食に蜂蜜離乳食、クックパッドに危険レシピ

2017年にははちみつを使った離乳食を食べた乳児が死亡する事件が発生。それがきっかけとなり、はちみつを使った離乳食や豚肉などを生食するレシピが掲載されていたクックパッドが炎上する騒ぎも発生。レシピには「自己責任で」などの注記もあったが、危険なレシピが野放しになっている状況に、ネット上では「通報機能をつけたほうがいい」など危惧する声が。（写真は当時のニュース記事）

当時の日記

危険なレシピが載っているということで、クックパッドが話題になっているようです。「乳児にはちみつ」という組み合わせならまだしも、「豚肉を生で食べちゃいけない」なんて当たり前の知識だと思っていたんですけど、僕が思う以上に世間は広いようですね。

当然ながら、豚肉を生で食べると寄生虫やらウイルスやらに感染する可能性が高いです。クックパッドの**当該レシピ**にも「寄生虫対策として、細かく切ることは、『美味しんぼ』に出ています」とか注意書きをしていたようですけど、寄生虫は細かく切ることができてもウイルスは包丁で切れるのかって話ですよね。

そんなおかしなレシピがクックパッドには載っていたわけですが、それってクックパッドの本質的な問題もあると思うのです。

そもそも、世の中にはまともな新レシピなんてものはほとんどなくて、既存の料理に何かを足すとかのレベルのものしかなかったりします。人類は20万年前から食材に火を通すという料理の基本をやってきたわけで、ここ数十年で発見された食材とか調理法とかほとんどないわけです。

だから、「完璧な新レシピじゃないと掲載しない」というサイトを作ったら、ほとんど更新されない状態になっちゃいますよね。クックパッドも、新しいレシピを増やして、ユーザーがコミュニケーションして……という仕組みで広告費などの売り上げを立てなきゃいけないわけで、そうすると素人のどうでもいい思いつきレシピでも増やさないといけない。

そのおかげで、しょうもないレシピだったり、生の豚肉を食べるといった頭のおかしなレシピが載っちゃうサイトになってしまうのかなと。まあ、会社として成長を追う限りは仕方がないのかもしれませんが。

そんな情報に左右される人を見ると、インターネットが使える21世紀でも人は非科学に騙され続けるんだなぁ……と思ってしまいます。人類の進化しないっぷりに感慨深くもなりますよねぇ。

（SPA！2017年5月2日号に掲載）

当該レシピ／大炎上した「豚肉のタルタルステーキ」や「豚ユッケ」のレシピは、2017年4月19日時点で、投稿したユーザーによって削除された

炎上度

FILE

038

「まとめサイト」誹謗中傷事件

2017年
7月発生

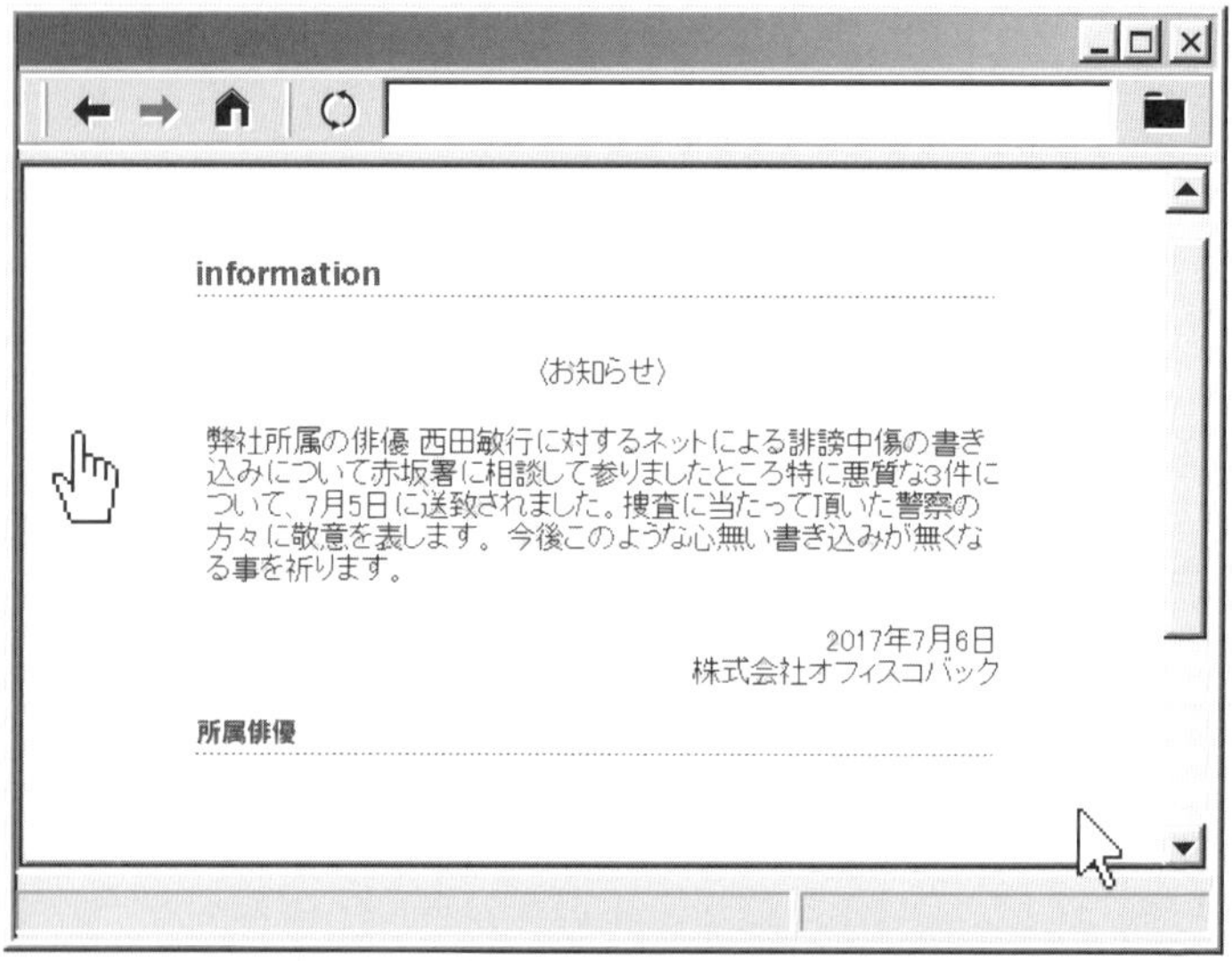
information

〈お知らせ〉

弊社所属の俳優 西田敏行に対するネットによる誹謗中傷の書き込みについて赤坂署に相談して参りましたところ特に悪質な3件について、7月5日に送致されました。捜査に当たって頂いた警察の方々に敬意を表します。今後このような心無い書き込みが無くなる事を祈ります。

2017年7月6日
株式会社オフィスコバック

所属俳優

噂をブログ掲載して書類送検。まとめサイトに捜査のメスが

ネット掲示板などに掲載されていた「西田敏行さんが違法薬物を使い、日常的に暴力をふるっている」という誹謗中傷をブログにまとめて拡散したとして、40〜60代の男女3人が書類送検された。読者数を増やし広告収入増を狙ったことがきっかけのようだが、今まで野放しとなっていた「まとめサイト」に捜査のメスが入ったことに、ネット上は騒然となった。(写真は当時の西田さんの所属事務所公式サイト)

当時の日記

最近、「**オルタナティブファクト**」とか、「ポスト真実」みたいな言葉が使われていますが、世の中には嘘がいっぱいあります。

昔は、嘘がツッコまれずにそのまま放置されていたのですが、最近はネットの普及で余暇のある人たちがいろいろ追及してくれるので、世の中に広がる嘘をいろいろチェックしてくれていたりします。

ただ、不況が続いていることもあって、「真実か嘘か?」ってことよりも「儲かるか?」という視点で動く人が増えて、どうしようもないよねぇ……って現象が世界中で起きているわけです。アメリカではフェイクニュースがはやっていて、調べてみたらマケドニアの17歳の少年とかがカネを稼ぐために嘘の記事を書いて大儲けをしています。日本でも、テレビ番組が「宮崎駿監督の引退発言」と言われる内容を放送したら、ツイッターでユーザーが書いた内容が元ネタだったなんてことがありました。

そんな流れの中で、西田敏行さんの嘘ニュースを書いたり広めたりした逮捕者が出ました。しかし、こういう人たちにとって、記事が真実かどうかなんて重要ではないのです。「このネタはPVが増える!」とか「視聴率が増える!」とかを重視しているので、真実かどうかは後回しなんですよね。

言ってもいない宮崎駿監督の引退コメントも、制作会社のスタッフがネットでネタを探して打ち合わせして、テロップなりの制作発注をして、現場のテレビ局の人やタレントさんには台本が配られて……という流れだったはず。つまり、ヘタしたら100人近くの人が放映前にこのネタについて知っていた可能性があります。しかし、それでも誰一人、ツッコミを入れずにそのまま放映されちゃったわけです。

西田敏行さんへのデマが流されて「ネットは酷いなぁ……」という話をする人がいますが、日本社会のみならず、世界中でこういう事態が起きているので、「人類ってしょうもないよね」っていうのが結論なんじゃないかと思っている昨今です。

（SPA!2017年8月1日号に掲載）

オルタナティブファクト／「もう一つの事実」の意味。語源はトランプ政権時に「大統領就任式に集まった群衆が多かった」というホワイトハウス報道官の言葉を擁護するために、大統領顧問のケリーアン・コンウェイ氏がインタビューで発した言葉

炎上度

FILE 039

2017年
11月発生

座間9遺体事件「ツイッター規制」問題

NEWS
座間9遺体事件で「Twitter規制検討」　ネットには反発の声
「意味がない」「事件を利用し言論の自由を剥奪しようとしてる」の声。
793
長澤まさみが行ってみると

安易なツイッター規制に、反発の声が続出する

2017年10月、神奈川県座間市で行方不明9人の遺体が発見された。容疑者と被害者はツイッターを介して接点を持ったことから、当時の菅官房長官が規制の必要性に言及した。この報道を受け、「政府の役割は、自殺願望を抱く人が増えないような社会づくり」「言論の自由を剥奪しようとしてる」など、反発の声が多数上がった。(写真は当時の「ハフィントンポスト日本版」の記事)

当時の日記

世の中には、世間の印象と事実とが異なることが、意外と多かったりします。

例えば、「最近の若者は切れやすい」みたいなことが言われたりしますが、実際の数字を見てみると少年犯罪は昔に比べてかなり減少しています。

そんなわけで、座間市で9人の遺体が見つかった事件に関して、菅官房長官の発言をきっかけに「ツイッターの規制が検討されるんじゃないか」と、ネット上で反発を招いていたりするようです。

この発言をした意図は「自殺する人を減らしたい」ってことなんだと思うのですが、日本では2016年に2万984人が自殺しています。ただ、日本の統計はアテにならないところがあって、実は年間6-37人も「死んでいるけど理由がよくわからない」という人がいたりするんですよね。この中には自殺している人もいる気がするので、自殺者数は2万984人どころじゃない可能性もあるわけです。

そう考えると、ツイッターを規制して9人の自殺志願者をなんとかするよりも、もっと他の、例えばうつ病の人が仕事を休めたりする環境とかを準備したりしたほうが、よっぽど自殺者は減るんじゃないかとか思ったりするわけですよ。

仮にツイッターを規制することができても、フェイスブックとか別のサービスにユーザーが流れちゃうだけなので、状況はあまり変わらないんじゃないかとも思います。そして、そういう規制をすると、「事なかれ主義」の日本のサービス提供会社は面倒を抱えてまでやる必要はないってことで、さっさと逃げちゃったりします。LINEも上場するときに**「したらば掲示板」**とかを手放しました。

日本では過去に検索エンジンをやることが微妙になって、日本独自の**検索エンジンが壊滅**してしまった歴史があったりします。以来、コミュニティサービスもツイッターとかフェイスブックとか海外のサービスばかりになったわけです。それって本来は規制をしまくった政府の責任なんですけどねぇ。

（SPA!2017年11月28日号に掲載）

「したらば掲示板」／スレッド型掲示板「したらば掲示板」（旧「したらばJBBS」）は、2004年にライブドアが買収。その後ライブドアがLINEに買収されたため、同サービスもLINEのサービスとして運営されていた

検索エンジンが壊滅／かつては「goo」や「infoseek」など日本独自の検索システムもあったが、著作権法の問題などから、日本にサーバを置くことが微妙になり、これらの検索システムはグーグルのシステムを流用するようになった

炎上度

FILE 040

チケットキャンプ炎上騒動

2017年12月発生

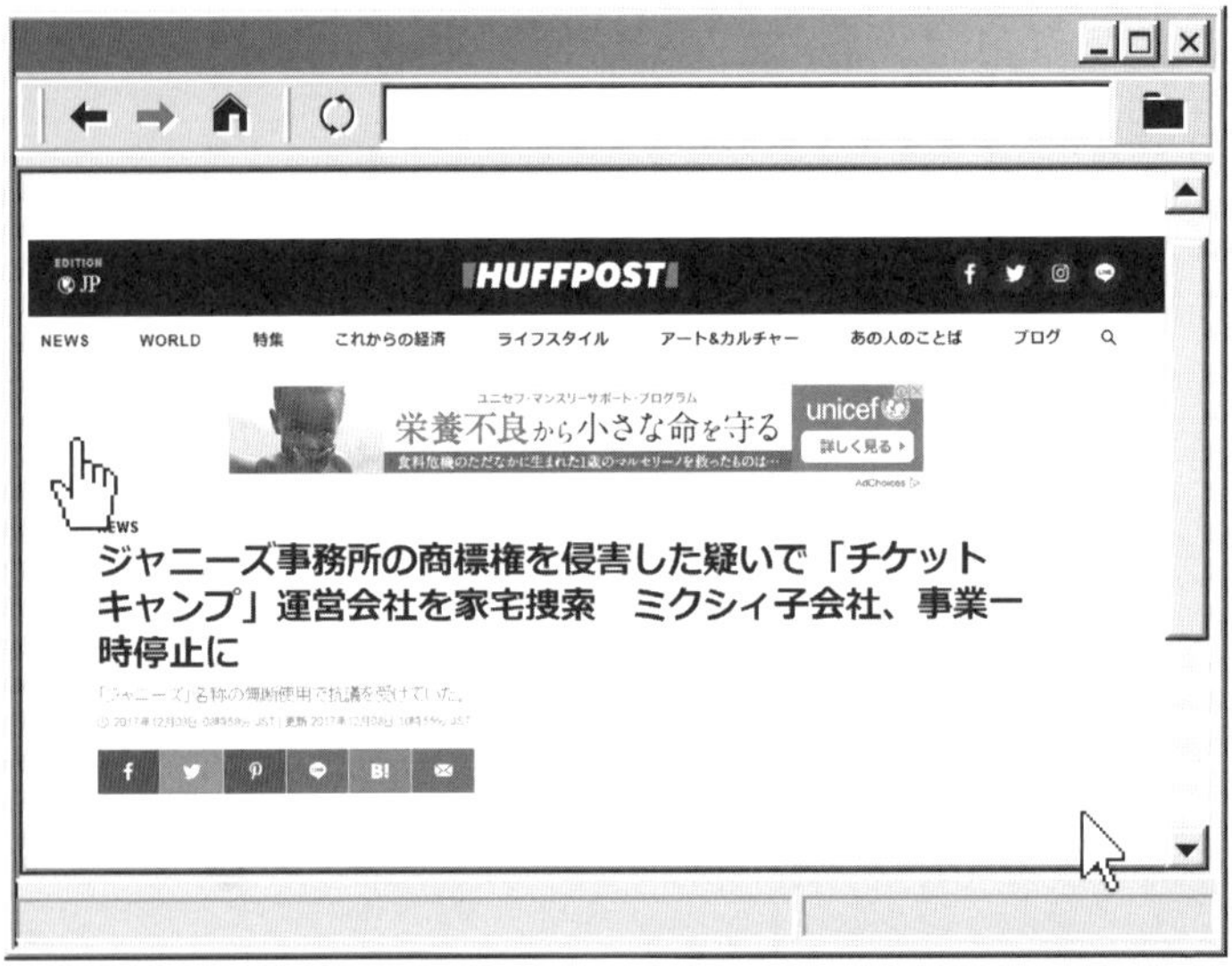
EDITION JP
HUFFPOST
NEWS
WORLD
特集
これからの経済
ライフスタイル
アート&カルチャー
あの人のことば
ブログ
ユニセフ・マンスリーサポート・プログラム
栄養不良から小さな命を守る
unicef
詳しく見る
NEWS
ジャニーズ事務所の商標権を侵害した疑いで「チケットキャンプ」運営会社を家宅捜索　ミクシィ子会社、事業一時停止に

ネット転売ヤーに激震
チケキャンに捜査のメス

チケット買い占めによる高額転売が問題視されるなか、チケット転売サイト「チケットキャンプ」に対し、商標法違反および不正競争防止法違反の容疑で捜査のメスが入った。俗にいう転売ヤーを嫌うネット民は、この報道に大歓喜。「転売ヤーがやりすぎた」「ざまあみろ」「ダフ屋のくせに一日中テレビCMしてるし、やりすぎ」などの声が多く上がった。(写真は当時の「ハフィントンポスト日本版」の記事)

当時の日記

世の中いろんな問題がありますけど、解決の方法を間違えているのをちょこちょこと目にしたりします。

例えば、非正規雇用の人を生活が安定する正社員にしてあげたいってことで「非正規雇用の人を5年間雇ったら、正社員にしなければいけない」というルールがあります。しかし、結果的にはアルバイトを5年続けるとクビになってしまい、逆に困る人が増えるというオチがあったりするんですよね。

さておき、なにかと話題な転売屋問題ですが、チケットの転売問題に警察が介入して、ネットでは「ざまぁ！」的なコメントが多かったりします。でも、転売屋からチケットを買いたい人がいなくなったわけではないので、海外のオークションサイトとかが使われて海外の会社と転売屋だけが儲けるようになるので、なんだかなぁ……と。

イベントチケットの転売を防ぐには、**システムを使ったり**、海外アーティストみたいに最初から主催者が高額でチケットを売る方法があります。ただ、日本だと「チケットが5万円もするとイメージが悪くなる」という意識からなかなか実現できないようです。

また、それ以外にライブ主催者と歌手の事務所の利益配分における問題もあるみたいです。

例えば、アーティスト事務所がライブをイベント会社主催で開催したとき、チケットが完売して経費をイベント会社への支払いから差し引いた残金が50万円だったとします。これがアーティストと事務所の取り分ですが、ファンクラブに入っている人は優先的にチケットが買えたりすると、とりあえず入会する人が出てきたりするんですよね。

ファンクラブの収益はイベント会社と分ける必要はないので、イベント自体の売り上げがほとんどなかったとしても、ファンクラブの入会者が増えればアーティスト事務所は儲けられるわけです。

というわけで、事務所もチケットの値段を上げるというモチベーションが働かないんでしょうねぇ。

（SPA！2017年12月26日号に掲載）

システムを使ったり／現在は様々なイベントで普及しているチケットをスマホアプリと紐づけて転売ができないようなシステムを導入すること。掲載当時はこういったシステムを導入するケースは稀だった

現在のひろゆきが振り返る2017年

本当の原因は販売元にある？ 転売ヤーが嫌われるワケ

ミクシィの子会社であるフンザが運営していたチケット売買サービス「チケットキャンプ」に商標法違反および不正競争防止法違反の容疑がかかり、同社が捜査されて大炎上したのが2017年です。転売ヤーと呼ばれる人たちがチケットを買い占めて高額転売していたので、ネット上では「ざまぁ」という声が溢れまくり、話題にもなりました。

その翌年にチケットキャンプは閉鎖されましたが、恐らく上場企業であるミクシィ的には、ユーザーが離れてしまったとかではなく、捜査のメスが入って面倒くさいのでつぶしてしまったような気がします。

というのも、転売サービスの需要は残っているので、商売という意味では続けても勝算は高かったからです。実際にチケットキャンプがなくなった後もメルカリやヤフオクなど、様々な場所で転売は生き残り続けています。

転売行為を止めたいなら最初から高く売ればいい

そもそも、僕は転売問題の解決は不可能だと思っています。つい最近もメルカリでの高額転売が話題になりましたし、転売ヤーによるプラモデルやゲーム機の買い占めによって、実店舗や公式サイトでの入手が難しくなり価格が高騰しています。

僕は、この問題の本質的な原因は転売ヤーではなく販売元にあるのではないかと考えています。なぜかといえば、販売元が最初から高く売ったり、サブスクリプションサービスのようなシステムを導入したりすれば転売ヤーはいなくなるからです。

安価でいい品は需要がありますが、ネット上で価格が高騰しているということは、さらに高い価格でも買う人がいるということ。つまり、販売元が設定した価格が安すぎるわけです。

もし販売元が「1年以上サブスクリプションサービスに登録している人にしか売りません」というルールを定めれば、登録会員しか買えません。

これはあくまで一例ですが、そういう抱え込み対策というのは、考えればいくらでもあります。それでも中国人バイヤーなどが転売目的で買うのであれば、どんどん価格を高くしていけばいいだけの話です。

本当に転売をなくしたいならそれを実施すべきなのに、実行に移さないのは販売元の問題。世間では高額転売は絶対悪のように言われていますが、販売元が「需要があるものは高く売る」という当然のビジネスをしないほうが問題です。

だから、本当に欲しいと考えている人たちが製品を手に入れられないのは、転売ヤーのせいではなく、販売元が悪いと僕は感じているのです。

儲かっているうちは「IT化をしよう」と本気で思わない

転売防止に繋がる仕組みとして、需要に合わせて価格が上がる「ダイナミックプライシング」という方法があり、アメリカでは普通に実施されています。

アメリカの場合、プラチナチケットを100万円で販売されることがあるのですが、それはアーティスト側が儲けるためです。

でも、なぜか日本で同じことをしてもアーティスト側はさほど儲かりません。

理由は単純です。アメリカの場合はイベント主催者がアーティストなのに対し、日本の場合はイベント主催者が興行会社で、アーティストは興行会社からギャラをもらって出演しているからです。

だから、もし興行会社がダイナミックプライシングで100万円の席を売ろうとしたら、アーティストは自分の取り分が変わらないので「イメージが下がるのは嫌だからやめてくれ」と言います。そういった理由により、日本のイベント会社はプラチナチケットのS席であっても、一律の価格で安く売らざるを得ないのです。

もっと邪推するなら、チケットを売る側である主催者が転売をさせるために、あえてダイナミックプライシングを導入していない気すらします。

仮に一般価格が5000円のチケットが転売価格で10万円に高騰するとします。すると、運営サイドのスタッフが抑えているチケットも10万円で転売できることになる。そういった〝お小遣い稼ぎ〟の部分もあるので、この利権を手放さないのかもしれません。

また、IT化が遅れているという問題もあるでしょう。極端な例ですが、人気アイドルを抱える某芸能事務所では、ファンクラブ向けにチケットを購入しようとしてもカード決済が使えず、銀行振り込みしか選択肢がありません。要は儲かっていたり売れていたりすると「仕組みを変える必要はない」と考えるわけです。

カード決済ができないのは、もはやＩＴに疎いというレベルの話ではないのですが、そもそも「ＩＴ化をしよう」という考えがないのだと思います。

本当にチケットを転売できないようにしたいなら、スマホにチケットを紐づけてしまえばいいだけです。韓国のライブではスマホにチケットを紐づけているので、スマホがないと会場にすら入れません。

転売防止策なのか入場をスムーズにするためなのかは不明ですが、日本でも宇多田ヒカルさんのコンサートは顔認証を使ったＩＴ化をしていました。このようにチケットの転売を防ごうと思えば防ぐ手段はいくらでもあります。

ちなみに、最近では転売対策としてマイナンバーカードとチケットを紐づけるというニュースが出ていたりしました。他人のマイナンバーカードで購入されたチケットを自分のものとして使えば違法となり、捕まる可能性すら出てくる。なので、これは強い抑止力になるような気がします。

転売ヤーが嫌われるのはJASRACが嫌われるのと一緒

そもそも僕は、転売自体がダメな行為とは思っていません。むしろ「安く買って高く売る」のは、商売の基本中の基本です。これまで触れたように、転売させたくないなら主催者や販売元が対策をすればいいだけの話です。

それなのに、ネット上では転売ヤーへの文句が止まりません。なぜなら、「転売屋が悪い」と言っても転売ヤーは「反論しない」からです。

逆に、「転売対策をしないアイドル事務所が悪い」と言うと、「アイドル事務所を責めるお前は何なんだ！」といった感じで、猛反発をくらいます。

だから反論してこない転売ヤーに悪意が向かっている気がしますし、それを見ると「転売ヤーが悪いという認識自体がズレているなぁ……」と思わずにいられません。

実はこれ、JASRACがボロ儲けをしていることに文句を言っている人と、構図が似ています。

アーティストやレコード会社はＪＡＳＲＡＣに権利を信託し、利用料から管理手数料を引いた残りを分配金として得ます。つまりＪＡＳＲＡＣは、単なる「取り立て屋」なのです。ＪＡＳＲＡＣがボロ儲けをしているのは、アーティストやレコード会社がボロ儲けしているからです。

しかし、「アーティストは好きだから責められない。ＪＡＳＲＡＣが悪い」となる。そしてＪＡＳＲＡＣは責められることも仕事のうちということで反論しない。

文句を言う人は、「音楽を使えないようにしているＪＡＳＲＡＣが悪い」と言いますが、そこまでを承認して契約を結んでいるのは、最終的にアーティスト本人です。たまにＪＡＳＲＡＣに信託しているくせにＪＡＳＲＡＣに文句を言うアーティストもいますが、「それならＪＡＳＲＡＣに権利を信託しなければいい」と思ってしまいますよね。

なので、僕はＪＡＳＲＡＣを本気で叩いている人や、転売ヤーを叩いている人を「基本的に構造がわかっていない頭の悪い人だな」と思っているのです。

BACK TO

2018

FILE 041
小室哲哉引退「文春許すな」騒動

FILE 042
海賊版漫画サイト問題

FILE 043
ネット配信者市議当選騒動

FILE 044
人気ブロガー刺殺事件

FILE 045
ヒカキン〝不謹慎狩り〟被害

炎上度

FILE 041

小室哲哉引退「文春許すな」騒動

2018年1月発生

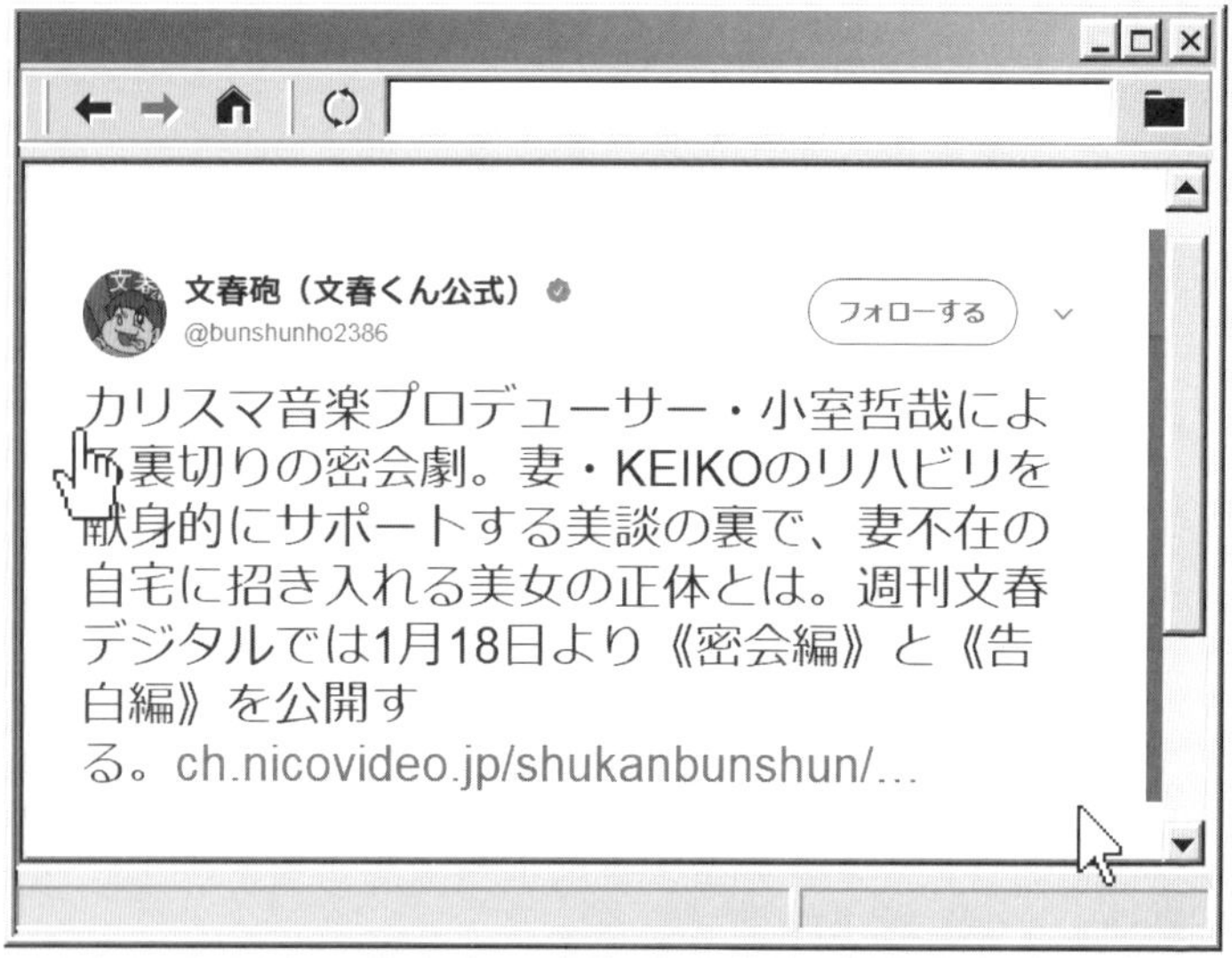
文春砲（文春くん公式）
@bunshunho2386
フォローする
カリスマ音楽プロデューサー・小室哲哉による裏切りの密会劇。妻・KEIKOのリハビリを献身的にサポートする美談の裏で、妻不在の自宅に招き入れる美女の正体とは。週刊文春デジタルでは1月18日より《密会編》と《告白編》を公開する。ch.nicovideo.jp/shukanbunshun/…

小室氏引退にネット民が激怒。「文春許すな!」と大炎上

2018年に音楽活動からの引退を表明した小室哲哉氏(現在は復帰済み)。その引退騒動のきっかけになった週刊文春のツイッターアカウント「文春砲」(文春くん公式)に批判が殺到。小室氏を引退に追い込んだことに対する怒りの声だけでなく、不倫ネタや著名人のスキャンダルを中心に報じる姿勢への非難の声も。(写真は当時のツイッター)

当時の日記

小室さん引退のニュースが流れるきっかけになった「週刊文春」がバッシングされているようです。「正義を振りかざして悪を捕まえたつもりでしょうが、実は弱い人を傷つけている」とか、「他人の不幸で食べるご飯はおいしいですか？」とか、「不倫報道飽きた」とか、週刊文春のモラルを疑問視する声が出ていて、**ハッシュタグ**まででてきているみたいですね。

ただ、不倫ネタをテレビで見たり雑誌を買って読んだりする人がいるから報道するわけで、「文春砲」という言葉もスキャンダル報道への期待から生まれました。そういう読者とか視聴者のレベルに合わせて内容を作るのは、仕方ないんじゃないかと。誰も買わなければ不倫ネタを扱わなくなると思うのです。ネット上で「モラルがない」とか週刊文春の記事に騒ぐのも、実は**週刊文春に加担**することになるので、本当にやめさせたかったら完全放置が一番効くんですよね。

そもそも、小室さんは不倫を否定しているんですよね。会見では「家には点滴や施術のために来ていた」と言っているわけですが、家にいたことだけでは男女の関係の証明にならないですし、「普通の男性としての能力というものがなく」とも言っています。

そうすると、男女の関係があったとする週刊文春の報道は、虚偽の事実に基づく名誉棄損になります。モラルがどうこうじゃなく、週刊文春の違法行為によって小室さんがしたことになるので、「よくないよねぇ」ってレベルの話ではないと思うのですよ。

週刊文春は報じた内容に自信があるなら、男女の関係があったという具体的な証拠を提示すべきかと。それが出せない時点で名誉棄損が確定なわけで。看護師さんが家に来ていたことは証明できたとしても、男女の関係にあったことを第三者に証明するのって、めちゃくちゃ難易度が高かったりします。

というわけで、週刊文春がフェードアウトして逃げるのか、男女関係の証拠を出してくるのか、どっちなのかなぁ……と思っていたりします。

（SPA!2018年2月6日号に掲載）

ハッシュタグ／ツイッターなどのSNS上では、週刊文春に対する批判のコメントに「#文春を許さない」「#文春を許すな」「#文春不買運動」などのハッシュタグがついた

週刊文春に加担／ネットで騒がれることで週刊文春を購入する人が増えるだけでなく、無料記事が読まれることで広告収入を得られる仕組みもあるため

炎上度

FILE 042

2018年
2月発生

海賊版
漫画サイト問題

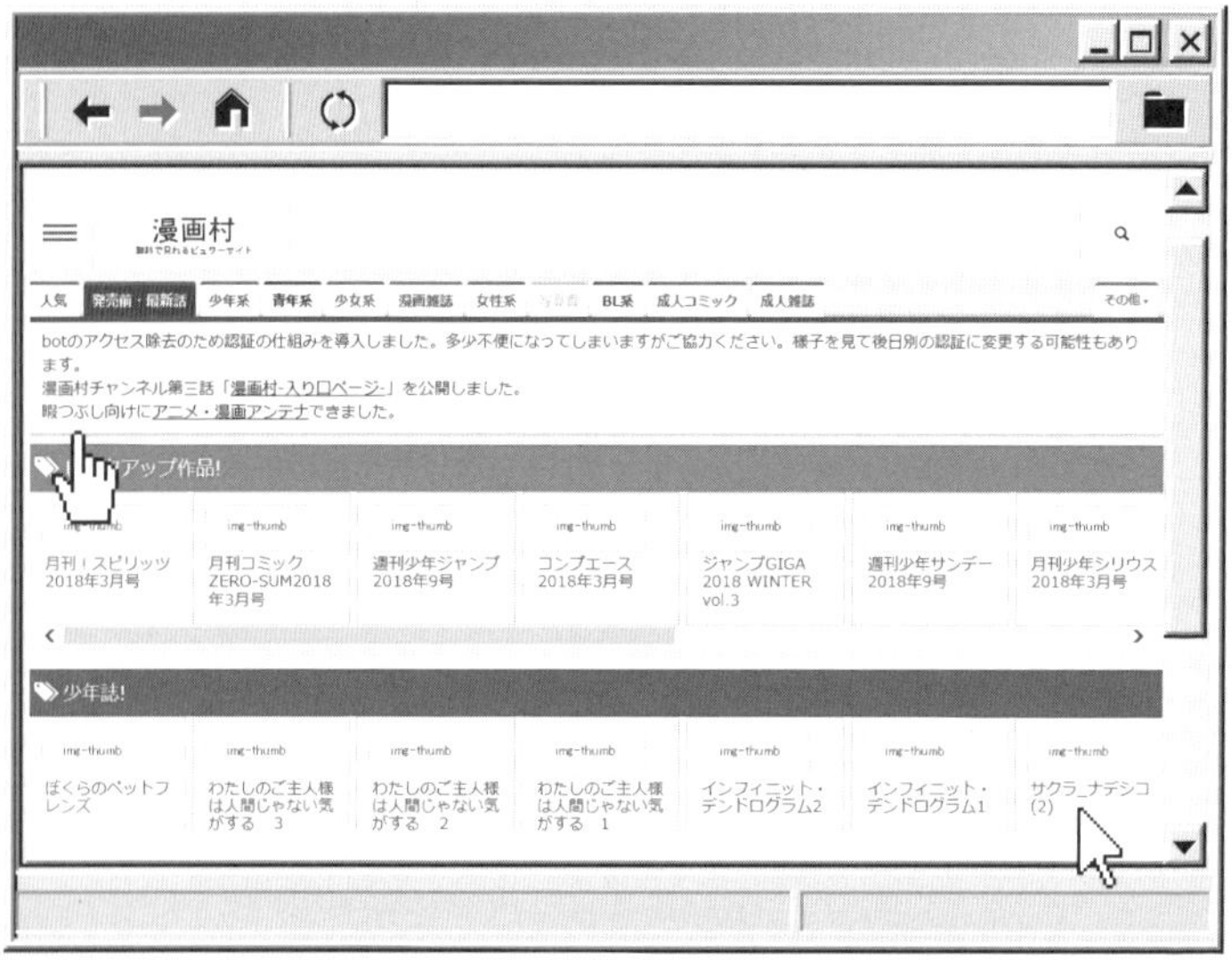

違法サイトが存在感を増し、漫画市場が前年比13%減

2018年当時、漫画市場では「漫画村」など違法海賊版サイトの深刻度が増していた。2017年の漫画単行本販売け前年比13%減だと判明。電子版は前年比17.2%増だが、単行本販売の売り上げ減をカバーできていないことから海賊版サイトへの批判が高まった。一方、ネット上では「漫画家が集まって無料サイトで広告収入を得れば解決」「漫画村のほうが公式より使いやすい」などの声も……。(写真は当時の「漫画村」)

当時の日記

アメリカの音楽市場は、過去に違法ダウンロードがはやりすぎて衰退するんじゃないかと言われた時期がありました。しかし、「海賊版を探す手間を考えたら払ってもいいかな」ってくらいの安い金額で音楽を売るサービスに切り替えることで、なんとかネット上で生き残ったわけです。映画も同じで、ネット上で映画を単品販売するサービスはパッとしなくて、ネットフリックスみたいな定額制動画配信サービスのなかで映画を売ることで、ネット上の映画市場を維持したりしています。

そんな感じで、アメリカのコンテンツサービスはネット系の会社が定額制や安価なプラットフォームがつくって生き延びているんですが、日本ではアメリカで成功したプラットフォームに乗っかることで音楽や映画の市場が生き残っていたりします。

しかし、漫画の場合はそうもいかないようで……。というのも、アメリカの漫画市場の規模は2015年で**約1100億円**とそんなに大きくなくて、同年の日本市場の3268億円に比べると3分の1だったりします。アマゾンがちょっと頑張っているぐらいなので、音楽みたいにハマった例がネット漫画市場にはないんですよね。だから、そもそも日本の漫画市場が乗っかるアメリカのプラットフォームがない。そんな状況下で**「漫画村」**みたいな違法海賊サイトまで出てきて、衰退に拍車がかかっている感じです。

海賊サイトをなくす動きもあるみたいですが、歴史的に成功した例がないので無理だと思うのです。それなら、どこかの日本企業がつくった日本独自の漫画プラットフォームに乗ったほうが、市場規模の縮小も下げ止まるのではないかと思うんですよね。

ただ、日本って黒船には従うものの、日本独自のプラットフォームだとプライドとか政治的な争いとかの問題から乗っかってこないので、最終的にユーザーにとって便利なプラットフォームになったためしがありません。結局は世界的に人気のある日本の漫画を売るチャンスを逃しているので、もったいないなぁと。

（SPA!2018年2月13日号に掲載）

約1100億円／アメリカのポップカルチャー情報の「ICv2」とコミック情報の「Comicchron」の共同調査によると、北米の2015年のコミック市場は10億3000万ドル

「漫画村」／当時のサイトの運営者名には「Iichiro ebisu」との記載があった

炎上度

FILE 043

2018年6月発生

ネット配信者市議当選騒動

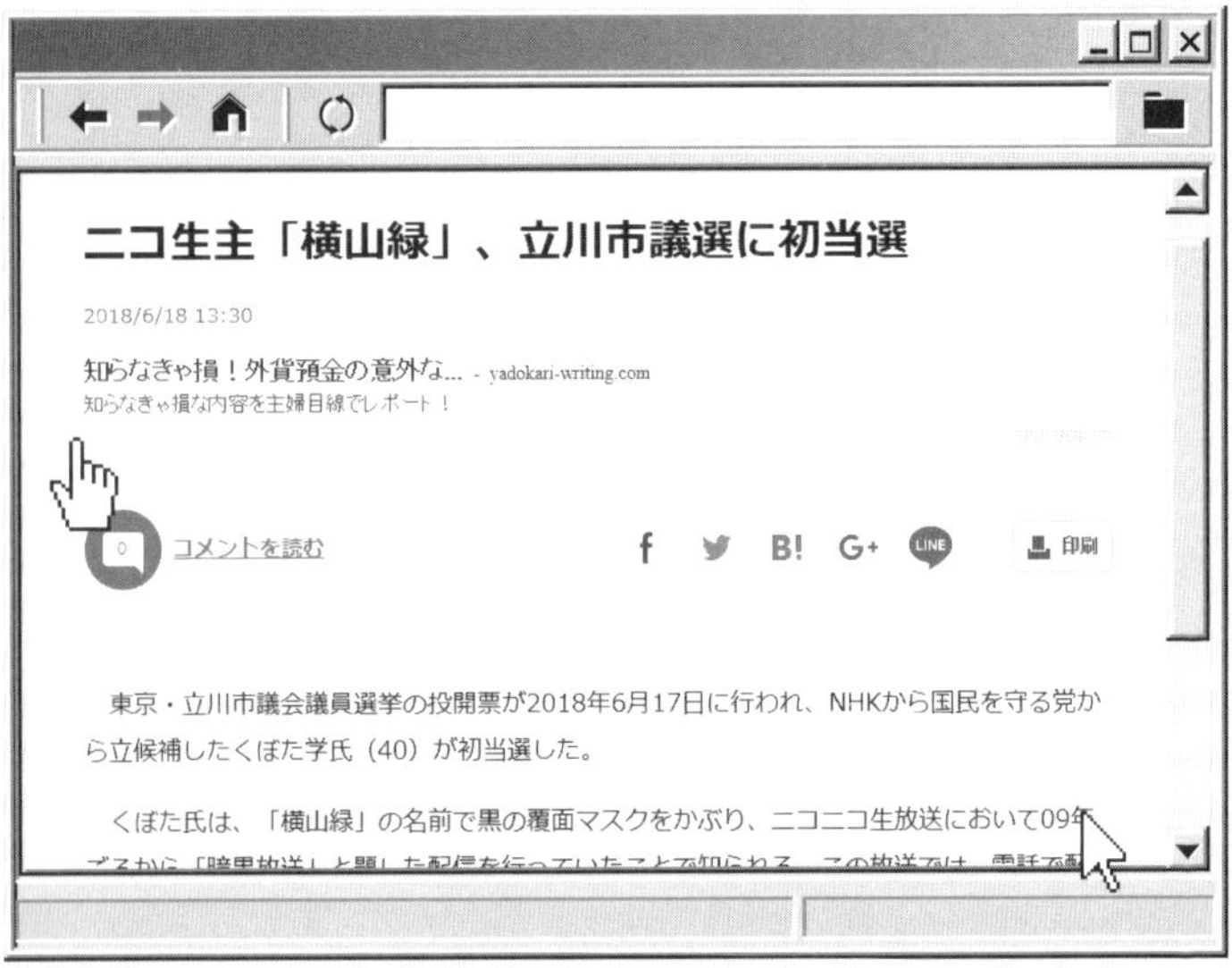
ニコ生主「横山緑」、立川市議選に初当選
2018/6/18 13:30
知らなきゃ損！外貨預金の意外な... - yadokari-writing.com
知らなきゃ損な内容を主婦目線でレポート！
コメントを読む
印刷
東京・立川市議会議員選挙の投開票が2018年6月17日に行われ、NHKから国民を守る党から立候補したくぼた学氏（40）が初当選した。
くぼた氏は、「横山緑」の名前で黒の覆面マスクをかぶり、ニコニコ生放送において09年

悪名高きネット配信者が立川市議当選で祭り状態

2018年6月17日に投開票が行われた立川市議会議員選挙で、くぼた学氏が当選した。くぼた氏は「横山緑」を名乗りニコニコ生放送を配信。マスク姿での破天荒な行動が賛否両論を巻き起こしていた人物だ。この当選にネット上は祭り騒ぎに。なかには「どうなってんだよ……狂ってるだろこの国」など動揺の声も。（写真は当時の「J-CASTニュース」）

当時の日記

古くはハリウッド俳優だったロナルド・レーガンも大統領になっていますが、最近ではイタリアのコメディアンが始めた政党「**五つ星運動**」が連立与党になったり、テレビでアンチヒーローだったドナルド・トランプがアメリカの大統領になったりと、品行方正とか真面目とかとは一線を画す人たちが、政治のど真ん中に出てきたりすることが起きています。

そんななか行われた立川市議会議員選挙で、くぼたさんという方が当選しました。この人は、ニコニコ生放送の生主として名を馳せた「暗黒放送」の横山緑さんだったりします。彼は自分で配信している生放送でプライベートを晒しまくっていて、結婚して子供が生まれたものの離婚したり、アダルト業界にいたり、**有罪判決**を受けたり、無職だったり……いろいろとやらかしている、どちらかというと底辺まっしぐらで走り続けた40歳なわけです。

しかし、市議会議員になったことで年間報酬が1000万円近くになっちゃったのですね。

ユーチューバーが子供たち憧れの職業だったりする昨今では、ニコニコ生放送をするユーザーは「生主」と呼ばれて少しさげすまれていたりするんですが、まさかの「人生大逆転」ということでニコニコ界隈ではわーわー言われています。

横山緑さんは、生放送のネタとして迷惑行為をしているとネット上で悪評もあったわけですが、選挙はマイナス票を入れることはできないので、悪評が5あったとしても知名度が10あったら当選しちゃったりするんですよね。

ネット上のアンチヒーローでも、それなりに知名度があると選挙で勝てると証明されたわけです。なので、これをきっかけにネットで有名な人たちの政治家への転身が増えたりするんじゃないのかなぁ……と。

それに対して違和感を覚える人もいるでしょうけど、民衆が選ぶ人が代表になるのが民主主義なわけで、選挙に民意が反映される限りは仕方のないことですね。

（SPA!2018年7月3日号に掲載）

五つ星運動／2009年に人気コメディアンと企業家・政治運動家により発足したイタリアの政党

有罪判決／購入した某美顔器ローラー内に陰毛が入っていたと、ネット生放送などで繰り返し発言。名誉棄損の罪で刑事裁判となり、東京高裁から罰金20万円の有罪判決

炎上度

FILE 044

人気ブロガー刺殺事件

2018年
6月発生

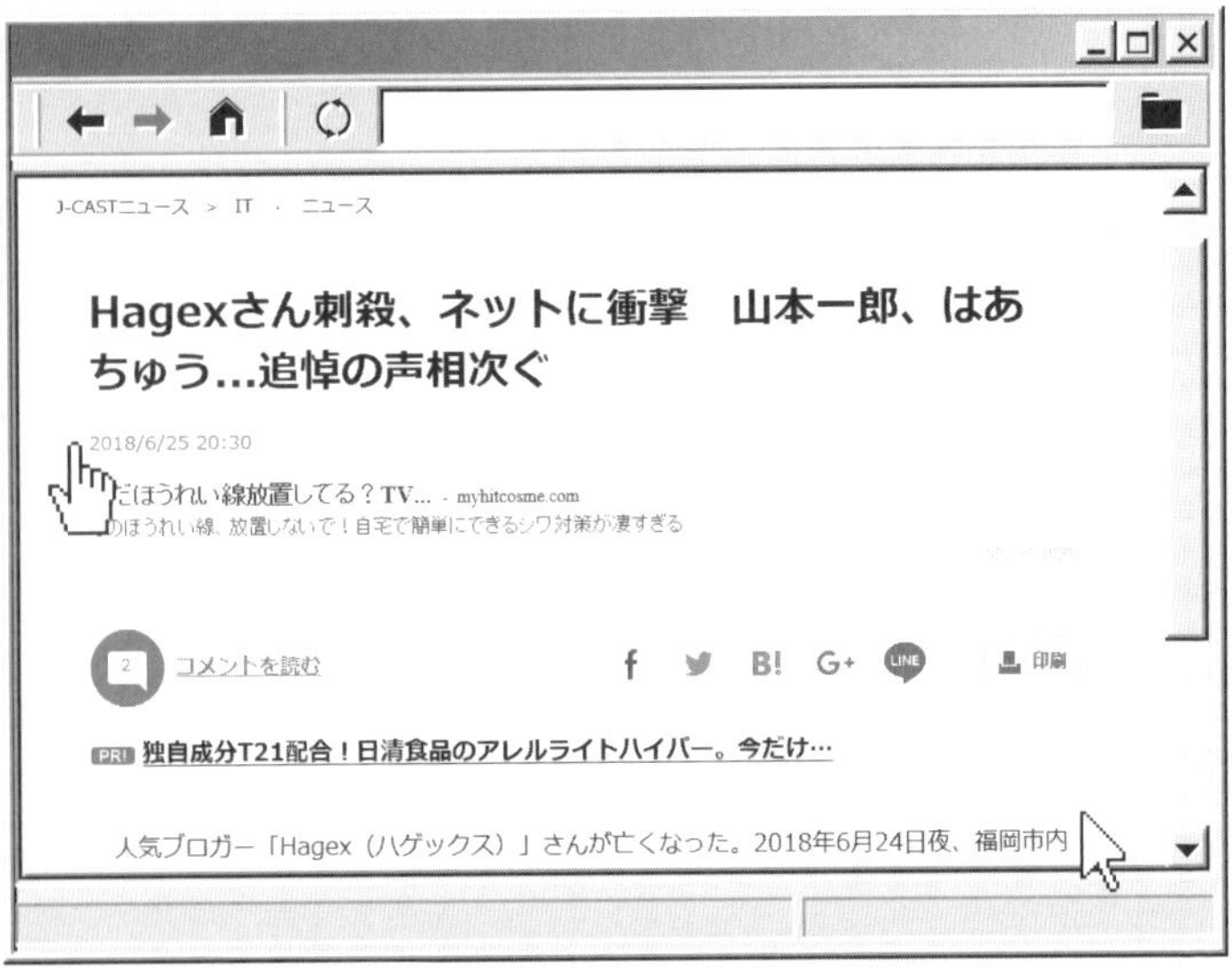

J-CASTニュース > IT ・ ニュース
Hagexさん刺殺、ネットに衝撃　山本一郎、はあちゅう…追悼の声相次ぐ
2018/6/25 20:30
ほうれい線放置してる？TV... - myhitcosme.com
のほうれい線、放置しないで！自宅で簡単にできるシワ対策が凄すぎる
コメントを読む
印刷
独自成分T21配合！日清食品のアレルライトハイパー。今だけ…
人気ブロガー「Hagex（ハゲックス）」さんが亡くなった。2018年6月24日夜、福岡市内

ネット上でのトラブルで、人気ブロガーが刺殺される

「Hagex（ハゲックス）」という名前で知られる人気ブロガーが、6月に福岡市で行われていたITセミナーの会場で男に刃物で刺殺された。容疑者の男は、ネットの掲示板で誹謗中傷の書き込みをしており、Hagexさんにも罵詈雑言のメッセージを送っていたという。ネット上では、「他人事とは思えない……」といった声が多く上がった。（写真は当時の「J-CASTニュース」）

当時の日記

日本は高齢者が多いので、政策決定が保守的というか、他の先進国より遅れて進行することが多かったりします。例えば、同性愛者の結婚が制度として認められている国も増えてきたら、日本では渋谷区が同棲していることを認める書類を発行するようになったり。ほかにも本屋がつぶれて電子書籍が普及したり、法的にグレーな民泊が増加したりと、他の国よりも少し遅れて日本でもその現象が起きたりするのです。

アメリカやフランスでは、年に何回か被害者の出る無差別テロ事件が起きたりするんですけど、日本でも秋葉原通り魔事件とか、新幹線の中で人が襲われたりとか起き始めていたりしますよね。

そんななか、Ｈａｇｅｘというハンドルネームでネット上では知名度のあった人が、面識のないネット上の〝荒らし〟に刺されて亡くなるという事件が起こりました。ネット上で顔も知らないのに脅されたり、殺人予告をされたことは今までにも多くありましたが、ネット上の揉めごとから殺人に至ったのは初めてのケースなんじゃないかと。「**ネット弁慶**」が99・９９％のケースだったのに、そうも言っていられない状況が日本にも訪れたわけです。

新幹線での殺人事件もですけど、この犯人も社会から孤立して絶望しているような、死ぬことを厭わない「無敵の人」だったりします。

「迷惑をかけずに自殺をすればいい」的な声もありますが、そういう無敵の人ってそもそも自殺しようが殺人をしようがどうでもいいと思っているタイプなので、ヘタに刺激をして衝動に駆らせないほうがいいと思うのですよ。

それなのに、最近ではＳＮＳの影響もあって人を罵ることの実質的な総量も増えていると思います。

アメリカやフランスだと、大勢が集まる場所には金属探知機が設置されてるのが当たり前な昨今ですが、この状況が続くと日本もそうなっていくのかもしれないですね。

（ＳＰＡ！・２０１８年７月17・24日号に掲載）

ネット弁慶／ネット上では横柄で偉そうな態度をとるが、実生活ではおとなしい小心者のような人のことを指すネットスラング

炎上度

FILE 045

ヒカキン 〝不謹慎狩り〟被害

2018年7月発生

寄付する
T-POINT
かざして募金
VISA
【拡散希望】ヒカキンと一緒に西日本豪雨の被災地に募金しませんか？
視聴回数 3,295,072 回
17万
5956
共有
HikakinTV
2018/07/09 に公開
チャンネル登録 631万

災害時に必ず発生する、〝不謹慎狩り〟という病

2018年7月に発生し、200人を超す死者を出した西日本豪雨。災害時に有名人の言動を批判する〝不謹慎狩り〟が今回も発生した。ヒカキン氏が100万円以上を寄付する動画を配信したところ、「売名行為」などの否定的なコメントが。また、お笑いコンビ「千鳥」のノブ氏がコンビニで支援物資を受けつける投稿をリツイートしたところ、店舗に無許可だったことが発覚し炎上。（画像は当時の「Hikakin TV」）

当時の日記

国際大学グローバルの講師をしている山口真一さんによれば、ネット炎上事件は「年収が高く、係長クラス以上の男性が参加しやすい」そうです。つまり、ある程度の責任のある管理職とかで、それなりに忙しく仕事がする人が〝正義感〟で他人を責めたりするという構図が、炎上に繋がっているようなのですね。

そんななかで、有名人たちが西日本豪雨の被災地に寄付やら義援金やらを送る行為に対して、関係のない人が攻撃する炎上騒ぎがちょこちょこ出ています。どうやら「売名行為がよくない」ってことらしいのですが、被災者の方々が生活を立て直すためにはお金が必要なのは間違いないわけで、「結果的に寄付金が増えるなら、売名でもよくね？」と考えるのが普通の人の感覚だと思うのですね。

寄付をしたユーチューバーのヒカキンさんが「自分の寄付より**100万人の100円**のほうが力がある」と言ったわけですけど、そういうのを見て、自分も寄付しようと思う人がいるかもしれないし、結果的に寄付が増えればそれでいいわけで。

でも、会社などでストレスが溜まっているからか、冷静に考えれば最終的に寄付してもらったほうがいいということがわかるはずなのに、他人を責めてスッキリしたいって感情があるんでしょうかね。あとは、有名人に対する嫉妬とか。

そもそも、不謹慎狩りをする必要性がよくわかりません。もちろん、**政治家**が浮かれていたら如何なものかと思いますが、災害を受けていない一般人が日常生活を送るのまでとがめたら、それは社会を停滞させるデメリットでしかないわけです。

文句を言う人はそういうのすら理解できていないだろうなぁ……と。山口真一さんの分析が正しければ、今後も日本で災害があるたびに寄付した有名人を叩いたり、不謹慎狩りをする炎上事件が起き続けるんでしょうね。日本は昇給も期待できなければ、未来も微妙ですし。

（SPA!2018年8月7日号に掲載）

100万人の100円／ヒカキン氏が募金を呼びかけたユーチューブ動画は、2018年7月25日時点では329万回再生。全員が100円を募金すると3億円超になる計算に

政治家／西日本の豪雨災害の最中、自民党議員が「赤坂自民亭」なる安倍総理（当時）と若手議員との親睦会の様子をツイッター上にアップし、問題に

現在のひろゆきが振り返る2018年

政府がブロッキングまで要請した「漫画村」が残した影響

2018年は「漫画村」が4月に閉鎖され、ネット上で大きな話題になりました。漫画村は2017年末から大きな話題になっていましたが、その段階では連載で扱いませんでした。というのも、SPA!編集部から「漫画村の内容に触れるのはNG」とのお達しが出ていたのです。その理由は、漫画村の内容を記事にすると、読者が漫画村にアクセスしてしまうから。

実際に、様々なメディアでこの話題は取り上げられていましたが、「漫画村」ではなく「海賊版サイト」的な総称で伝えていました。まぁ、その時点でネット検索すれば漫画村にたどり着けてしまうので、あまり意味はなかったと思うのですが。

そもそも漫画村は「リーチサイト」といって、自身のサーバに漫画のデータを置かず、世界中のネット上に散らばっている漫画の画像を並べて表示する形式のサービスでした。

簡単にいうと、グーグル画像検索のように、検索結果に漫画がページごとにキレイに並んでいて、順番に見ていけば普通の漫画のように読めてしまう……みたいなサイトです。

だから当時、「漫画村のサーバには漫画の画像は一切ない」と言われていて、別のサイトの画像を表示しているだけとされていました。要するに、著作権法的には別に問題ない仕組みだと解釈されていたのですね。

ただ、最近になって「実際は著作権法違反に当たる画像が少しだけサーバにあった」と、漫画村を立ち上げた星野ロミさんが言っていたので、そういう意味ではアウトだったのですが。


とはいえ、漫画村の問題があまりにも大きくなったこともあり、2020年には著作権法が改正されてリーチサイトは違法になりました。「違法なサイトにリンクしているサイトも違法である」というルールができたわけです。

ただ、「それを言ったらグーグルはどうなるの?」という話でもあります。グーグル検索の結果には違法サイトへのリンクが出てくるのだから、厳密に言えば検挙の対象になるからです。果たして、そこまで考えて法改正をしたのでしょうか……。

「漫画村」の生みの親
星野ロミを評価する理由

その後、星野ロミさんは2019年にフィリピンで身柄を拘束され、2021年に懲役3年の実刑判決を受け大分刑務所に収監。2022年の11月に出所して、ツイッターやユーチューブなどで活動を開始しています。

僕は星野さんの技術や運用能力は高いと思っています。例えば、漫画村のような方式で他サイトから画像を引っ張って表示させると、画像が消えやすいという問題が起こります。だから似たようなサイトを作ろうとすると、画像が抜けて見づらくなるはずなのです。

しかし、漫画村は「画像が抜けた」と検知すると別のサイトから画像を探し出してカバーするシステムを実装していたそうです。

あれだけの規模のサイトをきちんと回していたノウハウや運用能力を持つ人間が、このまま消えてしまうのは金子勇さんほどではないにしろ、もったいないな、と。

なので、星野さんが釈放されツイッターに現れたときに「ガチで合法の『漫画のネットフリックス』を作るというのはどうすかね?」と聞いてみました。漫画村をきちんと合法で再開すれば、大きなプラットフォームになれる可能性を感じたからです。

結果として、星野さんと対談をすることになったので、気になる人は192ページからの対談を読んでもらえればと思います。

2018年最大の事件だった カルロス・ゴーンさんの逮捕劇

逮捕といえば、2018年最大の事件は、日産自動車の会長だったカルロス・ゴーンさんの逮捕でしょう。容疑は、金融商品取引法違反。有価証券報告書に役員報酬を少なく記載し、その差額を退任後に未払い報酬として受領するつもりだったという解釈です。

リアルでもネット上でも、そして世界中でも話題になったゴーンさんの逮捕ですが、この事件以降、「日本で経営者をするのはリスクが高すぎる」という疑念が生まれたと思います。世界で活躍するまともで優秀な経営者なら、「日本をベースに会社をつくろう」とは考えないでしょう。

当然ですが、退任後に受け取る予定の報酬をゴーンさんは受け取っていません。実際には振り込む権利の契約書を作成ただけなのに、いきなり逮捕・収監となったわけです。

しかも日本の法律上、ゴーンさんの置かれた状況では、高確率でシャバには戻れません。外国人経営者からしたら「そんな国で仕事なんかしたくない」と考えるのが普通です。

もちろんツイッターの経営者となったイーロン・マスクのように「日本を主戦場にしよう」とリップサービスで話す人はいます。ただ、どれだけ日本法人を拡大させたところで、イーロン・マスクが日本をベースにビジネスをするなんてことはないでしょう。

市場という〝植民地〟としては使われるものの、日本に本社を置いて日本に税金を納めるようなことにはなりません。これは日本にとって、損でしかない。

世間の人にとっては「悪いヤツ」というイメージだけで十分

しかし、世間はこういう損失に気づいておらず、多くの人はこの事件に対して、「ゴーンさんが悪い」という認識しか持っていないと思います。

なぜそうなるかといえば、ゴーンさんは日本語を話せないので釈明が伝わりづらいのと、そもそも事件の詳細を調べる気がないからだと思います。

多くの人は「なんか横領をしていたらしい」といった認識だと思いますが、横領をしたのと「横領のようなことをする権利のある契約書を作った」では、まったく違います。

仮にゴーンさんがそこまで悪いのなら、同じことをした西川廣人さん（日産・前社長）も逮捕・収監されるべきだと思うのですが、日本からそういう声は聞こえてきません。それは僕がフランスにいるからでしょうか？

事件の詳細を調べる気がないというのは、堀江さんのライブドア事件のときと同じ構造です。本書を読んでいる人で、堀江さんがなんの罪で刑務所に行ったのかをきちんと説明できる人は果たしてどれだけいるでしょうか。

それこそインターネットというツールがあるのに調べないのは、興味がないだけでなく、たぶん調べる必要がないからです。

だって、「カルロス・ゴーンや堀江貴文は悪いヤツだよね」と言っておけば、世間一般から否定されることもない。

普通に生きていくには、詳しく知らなくても悪者というイメージだけあれば十分なのです。

BACK TO 2019

炎上度

前澤友作氏 ツイッター休止宣言

FILE 046

2019年 2月発生

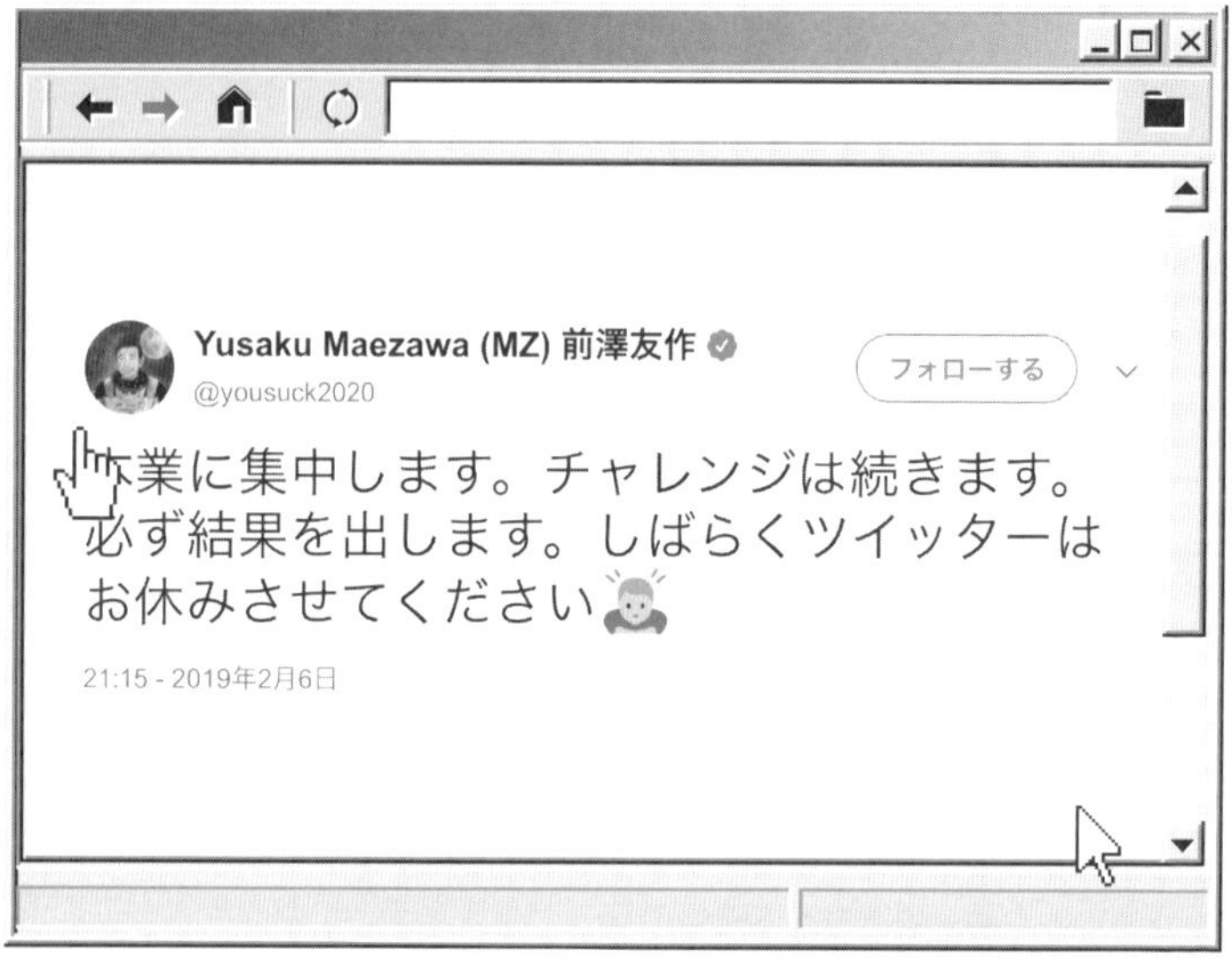
Yusaku Maezawa (MZ) 前澤友作
@yousuck2020
フォローする
業に集中します。チャレンジは続きます。必ず結果を出します。しばらくツイッターはお休みさせてください
21:15 - 2019年2月6日

前澤氏がツイッター休止宣言。 ネガティブつぶやきが原因か？

「お金配り」などSNSでは話題に事欠かない前澤友作氏だが、ZOZO社長時代には「ツイッター休止宣言」をしたことがある。当時は大手アパレルメーカーがZOZOTOWNへの出店を取りやめるなどしたことで株価が下落。前澤氏がツイッターで洋服の原価率に言及するアンケートをツイートしたところ、プチ炎上したことから当該ツイートを削除していた。（写真は当時のツイッターより）

当時の日記

前

澤社長がツイッターを休止するみたいで、その宣言をした直後から**株価が回復**するという、わかりやすい事態になっているようです。ちなみに、その前日には服の原価に関するアンケートをやったところ「その売り上げの3割もZOZOがとっていることを知ってましたか?」というツッコミが入ったりして、話題になっていました。

ZOZOTOWNはメーカーの服を販売するサイトですが、商品を安売りしたりしてアパレルメーカーがZOZOTOWNから撤退し始めているんですよね。そんななか、自社ブランドの宣伝に繋げたいという意図があったとは思うものの、メーカーに喧嘩を売るような発言をするとか公開企業の社長としては失策としか思えないわけで……。

個人商店ならまだしも、公開企業って株価が下がると株主からめっちゃ怒られますからね。2018年7月の株価と比べると半値以下なわけですし。

どんな商品にも原価はありますが、原価だけで商品が手に入らないってのは誰でも理解できることです。漫画だって紙とインクでできていて、原価で言ったら50円とかだったりしますが、「単行本は50円で売るべき!」とか言いだしたら、ちょっと頭がおかしくなったと思われるわけですよ。

それなのに批判が起こるのは、会社の経営者がツイッターをやることの弊害ですね。

経営者の発言は**株価にも影響**しますし、自社商品の宣伝ならまだしも、私生活の自慢話って誰が喜ぶのかと思うのです。反感を買いますし、思想や感情の吐露とか思いつきを書き込んだら取引先から敬遠される事態もあり得るわけです。だから自己顕示欲を満たす以外、不用意につぶやくことのメリットってほぼないと感じちゃうのですね。

そんなわけで、経営者がツイッターにかまけたり本を書くことに夢中になったりと自己顕示欲を満たすことを優先し始めると、たいていの場合、微妙なことになるよなぁ……と思っている昨今です。

(SPA!2019年2月26日号に掲載)

株価が回復/発言前は1700円前後だった株価が、発言直後に一時1853円まで上昇した

株価にも影響/2019年1月に「総額1億円のお年玉」キャンペーンを発表した際には、1888円から2051円まで上昇した

炎上度

FILE 047

2019年3月発生

「破産者マップ」閉鎖騒動

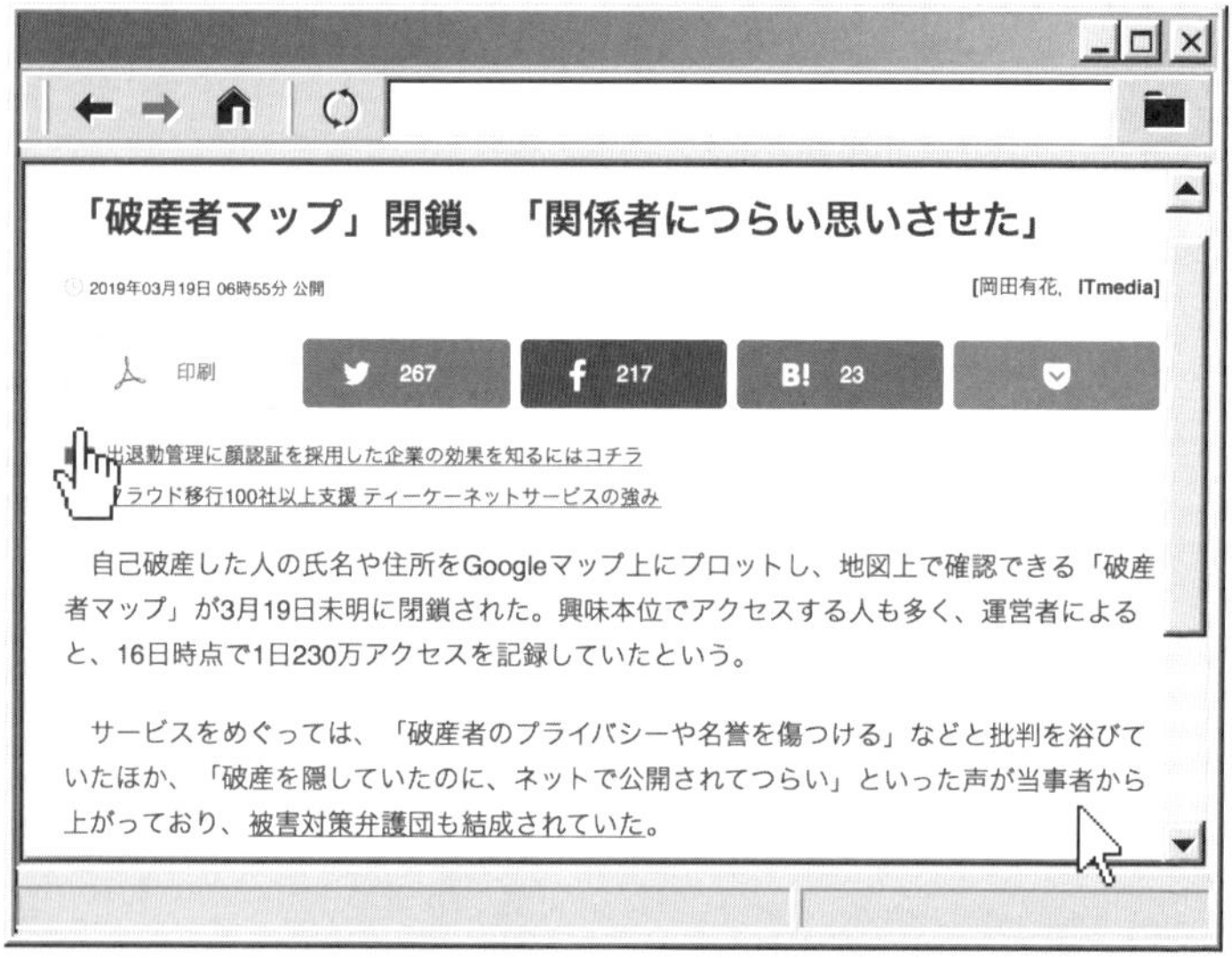
「破産者マップ」閉鎖、「関係者につらい思いさせた」

2019年03月19日 06時55分 公開

[岡田有花，ITmedia]

印刷　267　217　B! 23

出退勤管理に顔認証を採用した企業の効果を知るにはコチラ

ラウド移行100社以上支援 ティーケーネットサービスの強み

自己破産した人の氏名や住所をGoogleマップ上にプロットし、地図上で確認できる「破産者マップ」が3月19日未明に閉鎖された。興味本位でアクセスする人も多く、運営者によると、16日時点で1日230万アクセスを記録していたという。

サービスをめぐっては、「破産者のプライバシーや名誉を傷つける」などと批判を浴びていたほか、「破産を隠していたのに、ネットで公開されてつらい」といった声が当事者から上がっており、被害対策弁護団も結成されていた。

破産者情報を地図上に表示、「破産者マップ」が閉鎖に

官報に掲載された破産者の名前や住所などがグーグルマップ上に表示される「破産者マップ」が閉鎖されてネット上がざわついた。個人情報保護の観点から「破産者のプライバシーや名誉を傷つける」などの批判が相次ぎ、運営者はツイッターで、「関係者につらい思いをさせた」と謝罪した。（写真は当時の「ITmedia NEWS」）

当時の日記

「30〜40代のうち貯金ゼロの割合は23%」

という調査結果があります。そういう人が借金をすると大変なことになりますが、最近は「消費者金融で借金しちゃダメだよ」とかアドバイスする人が減り、逆に感じのいいCMを目にすることが多くなっている気がするのですね。借金を帳消しにする自己破産をする人も増えているみたいですし。

そんな自己破産した人たちが地図上に表示されるサービスが閉鎖して、話題になっています。

名前と住所が晒されたことに驚く人もいるみたいですが、そもそも破産者の情報って官報に掲載されているわけで、それを使っただけなんですよね。

なかには「相手の親族が見たようで、婚約について大事な話があると言われた」なんて被害を訴えるコメントがあったみたいですが、それってサービスが社会の役に立ったってことなんじゃないかと。破産したことを親族に黙って結婚しようとするとか、ろくな人間じゃないですし。

プライバシーの侵害を問う声もありますが、破産した人が誰なのかわからないと「会社が取締役から外す」みたいなルールを遂行できなくなります。だから実は自己破産した人の情報を公開するのって社会のシステムとしては必要なのです。

過去にも「忘れられる権利」というエゴサーチで逮捕歴が表示される検索結果の削除を求めた裁判では、条件をつけているものの、最高裁が削除を認めない決定になっていたりもします。ほかにも地図上に個人情報を表示するサービスだと**「大島てる」**がありますけど、掲載されているのは死んだ人の情報なので、そもそも人権がないという皮肉な話だったり……。

そんな破産者マップも結局は閉鎖になったわけですが、それより先に閲覧制限にかかるような問題が起きると思っていたんですけどね。前科も必要以上に長く掲載すると**違法になる**可能性があるので、例えば「一定期間で削除する」みたいな措置があれば、また違う結果になったかもしれません。

（SPA!2019年2月4日号に掲載）

「大島てる」／いわゆる「事故物件」を地図上に表示するサービス

違法になる／東京地裁は2014年にグーグルの検索結果の削除を命じる仮処分決定をしている

炎上度

FILE 048

2019年
3月発生

強制マイニング無罪判決

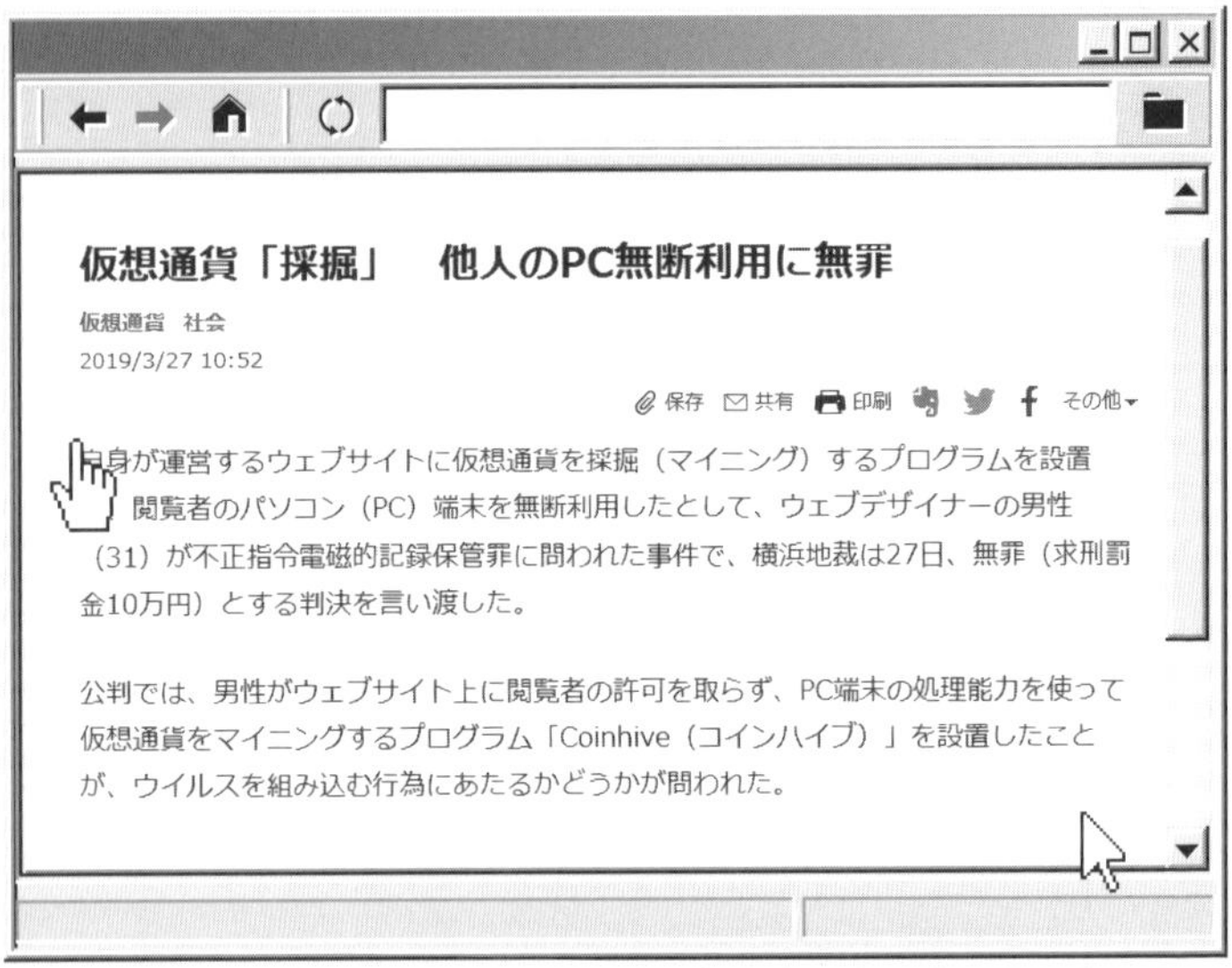

仮想通貨「採掘」　他人のPC無断利用に無罪

仮想通貨　社会

2019/3/27 10:52

保存　共有　印刷　その他

自身が運営するウェブサイトに仮想通貨を採掘（マイニング）するプログラムを設置 閲覧者のパソコン（PC）端末を無断利用したとして、ウェブデザイナーの男性（31）が不正指令電磁的記録保管罪に問われた事件で、横浜地裁は27日、無罪（求刑罰金10万円）とする判決を言い渡した。

公判では、男性がウェブサイト上に閲覧者の許可を取らず、PC端末の処理能力を使って仮想通貨をマイニングするプログラム「Coinhive（コインハイブ）」を設置したことが、ウイルスを組み込む行為にあたるかどうかが問われた。

閲覧者に強制マイニングも無罪判決でネット民歓喜

「自身のサイトにアクセスしたユーザーのPCを勝手に使い、仮想通貨をマイニングするプログラムを設置した」として略式起訴されていたウェブデザイナーに無罪判決が言い渡された。この判決にネット上では、「当然」「道義的には問題だが、犯罪とまでは言えない」といった肯定の声が。さらに「警察やりすぎ」など新しい技術を規制する動きに反感の声が上がった。（写真は当時の「日本経済新聞」）

当時の日記

頭の悪い人が中途半端な知識で物事を判断して周りが混乱する。そんな事態は往々にしてありますが、偉い人がそれをやっちゃうのをたまに見かけます。先日も「コインハイブ」をウェブサイトに置いた人が摘発されて裁判沙汰になり**無罪になった**事件がありましたが、そもそも技術をちゃんと理解している人が正しい判断をすれば逮捕されることもなかったと思うんですよ。

コインハイブはウェブサイトを見たときに、広告の代わりに仮想通貨を**マイニング**するという仕組みなんですが、警察としては「閲覧者のPCがウェブサイトを見ている間、仮想通貨をマイニングすることを告知してなかった」ということが問題らしいです。でも、ウェブサイトを見るときに流れる動画広告とかって事前に告知されてることなんてほぼないですよね。ほかにも最近の広告は「どういうページを見たか」を勝手に広告会社に送って、それに合わせた広告が勝手に表示されたりするんですけど、それを告知されたり承諾した覚えのない人がほとんどだと思います。

なので、「承諾してない行為をした」のが問題なら、広告を載せているサイトもダメだし、アクセス解析とかをトラッキングしているグーグルもダメだし、日本中のIT企業が逮捕されることになるのではないかと。

ほかに、エロサイトとかの広告では画面を閉じた後もこっそり裏で動いていて、ページを勝手に表示させるスクリプトが仕込まれていることもあります。これも逮捕されたって話は聞いたことがないです。

アプリケーションなんかは、インストールすると勝手に別のソフトまでインストールされたり、PCの設定を変えちゃうような下品なものもいっぱいあるんですけどね。

刑事罰を科すのであれば、合法と違法の明確な区分けが必要で「このラインを越えたら違法」だと明確にしないとダメなわけで。なんとなくで逮捕されるリスクがあるなら、みんなITサービスをやめて結果的に外国企業ばかり成長することになっちゃいますよね。

（SPA!2019年4月16日号に掲載）

無罪になった／横浜地裁は、コンピュータウイルスなどのように機能に不正な点は認められず、不正指令電磁的記録に該当しないと判断した

マイニング／PCの計算を使い、仮想通貨のブロックを生成することで仮想通貨を報酬として受け取れる行為のこと

炎上度

FILE

049

ユーチューバー
おにぎり窒息死事件

2019年
4月発生

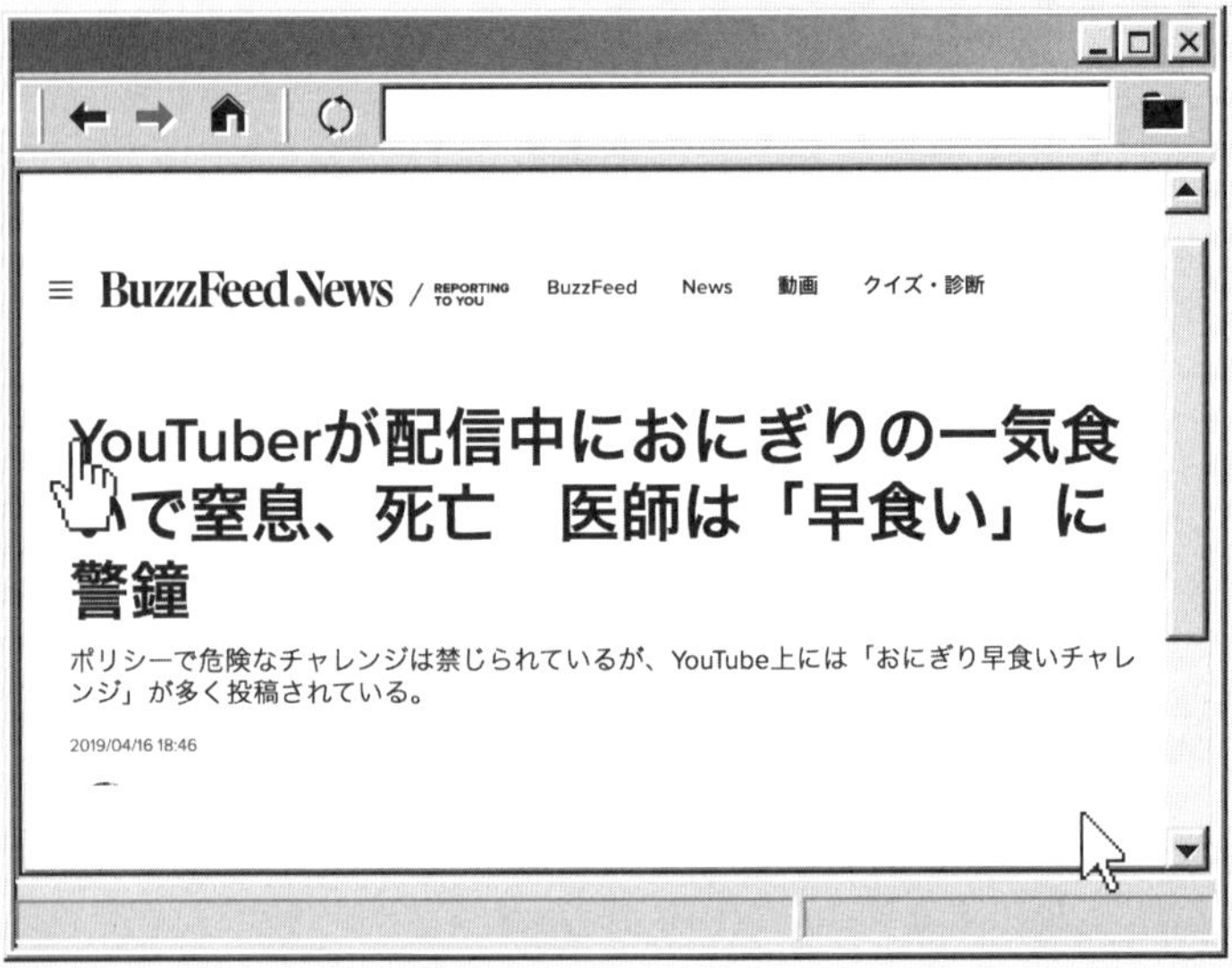

≡ BuzzFeed News / REPORTING TO YOU　BuzzFeed　News　動画　クイズ・診断

YouTuberが配信中におにぎりの一気食いで窒息、死亡　医師は「早食い」に警鐘

ポリシーで危険なチャレンジは禁じられているが、YouTube上には「おにぎり早食いチャレンジ」が多く投稿されている。

2019/04/16 18:46

ライブ配信で放送事故発生
早食い挑戦の女性が窒息死

2019年当時、一部のユーチューバーの間で「おにぎり早食いチャレンジ」が流行し、これをライブ配信中に行った女性が窒息死する事故が発生した。おにぎりを食べる瞬間から泡を吹き意識不明となり救急隊が駆けつけるまでの様子が生配信されたことからネット上は騒然。SNS上ではチャレンジ関連動画の拡散防止の呼びかけや、女性への哀悼の意などが溢れた。(写真は当時の「BuzzFeed News」の記事)

当時の日記

世の中にバカが増えると、それだけ経済も悪くなるし治安も悪くなるので、バカは減らしたほうがいいと思うのですが、メディアとかではバカを売りにしたタレントが登場したりしています。物事を知らないことを恥と思わない人がコメントしていたり、「バカなことが悪いことではない」みたいな風潮の企画が作られているので、バカなことをやる人が減らない社会になっていたりしますよね。

そんなバカ行為がユーチューブでもはやっていまして、ライブ配信中にバカなことをした結果、意識不明になって窒息死するという事件が起きました。

この亡くなった人に対してかわいそう的なリアクションをネット上でチラホラ見かけたりします。でも、こういうことをするバカを増やさないためには、「かわいそう」とか言うのではなくて、「早食いで死んだバカがいる」「こんなバカにならないように気をつけましょう」とか言っといたほうがいいと思うんですよね。

「死んだ人はかわいそうだから悪く言うものじゃない」みたいな思考停止をして、間抜けな死に方をする人を増やすのはどうかと思いますし、バカに「バカ」と言わずバカを増やしても社会がよくならないわけで。

暴走族も「珍走団」と呼ぶことで恥ずかしい存在だと認識させる作戦が、**わりと成功**しています。恥ずかしいことだと広めるのは意味があると思うのですよ。

ユーチューブ側も問題になるので**規約をきつく**したりして危険行為をやめさせたいようですが、結局はバカなことをする人は出続けていますよね。いまだに早食いの動画を撮っている人もいますし。

一方で、報道しないほうがいいことは報道したりするんですよね。例えば、有名人の自殺を報道すると、後追い自殺が出たり、注目を浴びたいからと承認欲求の強い人が自殺しちゃったりすることがあります。

こういうことが起きるのでＷＨＯが報道関係者向けに自殺予防のためのリファレンスを出していますが、日本のメディアって、こういうのをなかなか守らないですよね……。

（ＳＰＡ！２０１９年５月14日号に掲載）

わりと成功／福岡県警は暴走族対策として、大々的に「暴走族？　いいえ、珍走団です」というコピーとともに、そのダサさを揶揄した顔文字などを使ったポスターを作成

規約をきつく／米国では目隠し状態で様々な行動をする「バードボックスチャレンジ」が大流行。交通事故が起こり、有害なチャレンジやいたずら動画が禁止された

炎上度

FILE 050

2019年
5月発生

不登校ユーチューバー論争

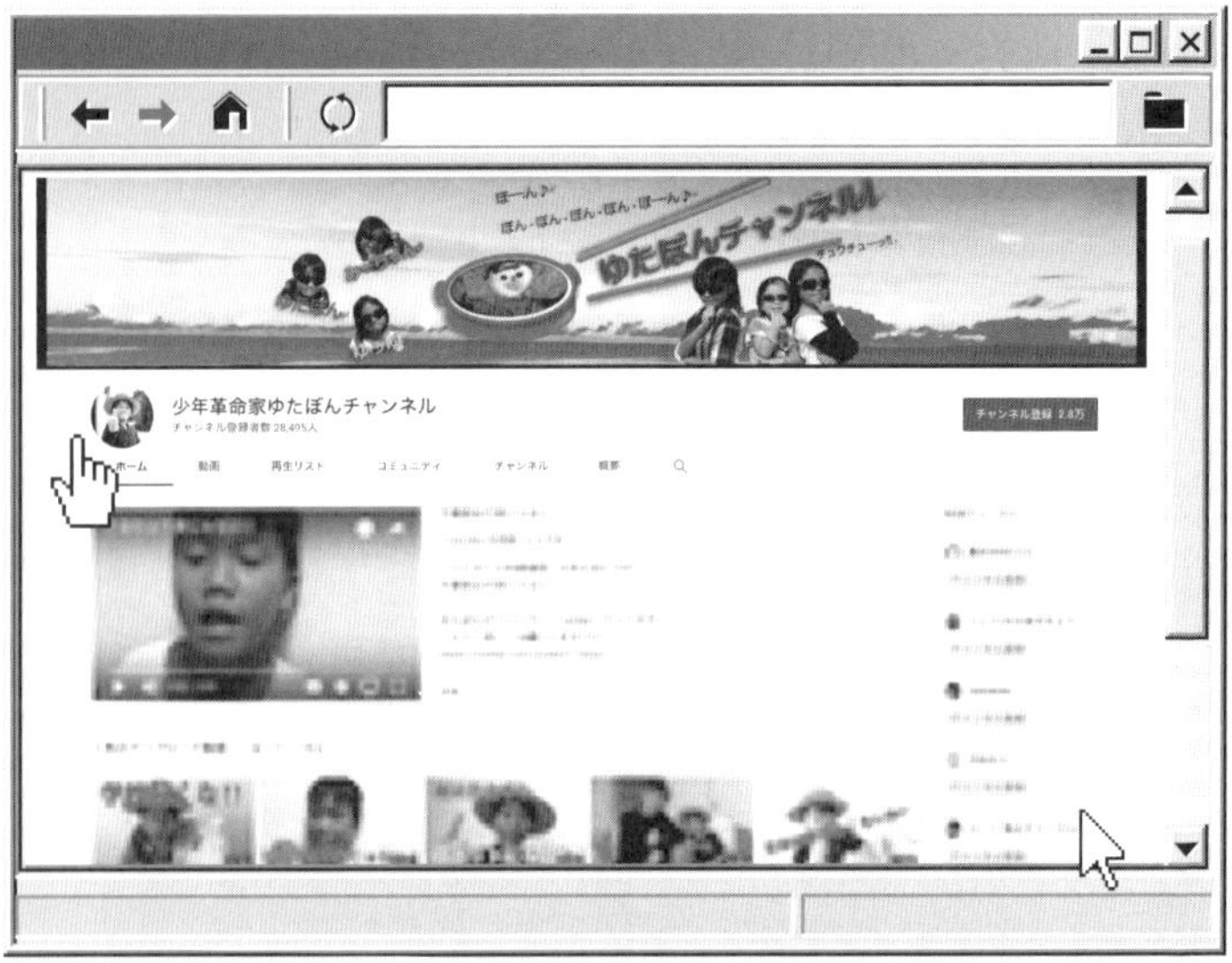

「不登校は不幸じゃない」10歳ユーチューバーは幸せか?

学校に通わないことを宣言し、いじめや不登校に悩む子や親に「不登校は不幸じゃない」との動画を発信する10歳のユーチューバー「少年革命家ゆたぼん」が生まれたのが、この年。その言動にネット上では賛否両論が湧き起こり、その背景に見え隠れする親の存在に「義務教育すら終えられないことが不幸そのもの」「大人の食い物」など責任を追及する声が。(写真は当時の「少年革命家ゆたぼんチャンネル」)

当時の日記

少子化対策で「子供が生まれたら１０００万円を配る」って話をすると、「カネ欲しさに子供をつくる親が出てきたら子供がかわいそう」とか育児放棄の問題が出てきますが、親がおかしいなら役所や社会が全寮制の学校で引き取るとかの仕組みにすればいいと思ったりしています。

そして、話題の10歳の不登校ユーチューバーですが、子供の不登校は仕方ないし、必ずしも学校に行く必要はないと思います。しかし、親は子供に「教育を受けさせる義務」があるわけで、集団生活の経験や知識を得られるメリットもあるので学校に行ったほうがいいと思うのですよ。「学校の勉強は役に立たない」って意見も、役に立たない勉強はあるものの、例えば算数ができないとまともな仕事に就けないわけです。

アメリカだと、自宅学習教材や支援するＮＰＯとかがあるので自宅学習はそれほど珍しくもないんですが、日本にはそういうのが普及していないんですよね。

10歳のユーチューバーも自宅学習をしているという話が出てこなかったりするんですけど、もし「学校に行かなくてもいい」というのであれば、「ほかの方法で勉強できる」ってことを示すべきじゃないかと。でも、親がおかしな人だとそういうこともできないので、かわいそうな家庭に育っちゃってるなぁ……と。

５人姉弟でユーチューバーとして活動していた17歳の姉もいるようですが、一緒に沖縄移住しなかったようで、それを**父親**が「わがままで贅沢な長女が抜けたことで家族会議もスムーズ」とブログに書いたり、母親もプロフィールに「夫と子ども４人の家族６人」と書いたりで、長女がいなかったことにしているんですよね。ほかにも、子供をダシにお金を稼いだりしていて、なんだかなぁ……と。

子供に教育を受けさせる義務を果たしてないようだし、子供の悪口をネットに書いて存在を認めないような親に子供を預けるぐらいなら、社会が引き取るほうがマシじゃないかと。頭のおかしな親と、その親に育てられるかわいそうな子供がいるのは世の常ですから。

（ＳＰＡ！２０１９年５月28日号に掲載）

父親／ブログの情報では、「心理カウンセラー」「禁煙カウンセラー」の肩書を持つ中村幸也氏のこと。中卒・元暴走族で、カウンセラーは自身の経験からの独学だという意見が見られる

現在のひろゆきが振り返る2019年

この年、最も気になった前澤友作とゆたぼん

いつもネット上を賑わせている人物の一人、ZOZO創業者である前澤友作さん。2019年からすでにツイッターでも人気者だった前澤さんですが、4月には急な「ツイッター休止宣言」を投稿するなど、経営者として苦しい局面を迎えていました。

その後、2019年9月にはZOZO社長から退任し、「お金配り」でさらに人気者になっていくわけですが、堀江貴文さんは自身のメルマガの中で前澤さんの行為に対して、「お金を配ることで情弱リストを作っている」と言っていたみたいです。

これはある意味、正解です。振り込め詐欺から不動産、証券会社や銀行の営業に至るまで、お金に群がる人のリストというのはなにかと利用価値があったりするものです。

ただ、僕は前澤さんにツイッターでブロックされているので、ツイッター上での言動が見

えないことも影響していると思いますが、最近はかつてほど前澤さんの話題を目にすることが減った気がしています。

少し前に「MZ DAO」というコミュニティをつくって、「僕と一緒に会社をやりませんか?」と人を集めていたらしく、そのPRも兼ねてニュースピックスの番組で対談とかをしていたのを見たくらいです。

有名になる前から一緒に仕事をしていた人に話を聞くと、前澤さんはすごい努力家で昼夜を問わず働くようなエネルギッシュぶりだったらしいです。そういう意味では、もともと持っていた努力家だった部分が失われてしまっているのかもしれません。

ただ、ZOZOで桁違いの額を儲けてしまったこともあるので、これから地道な努力をして、大きな事業を築いていくのは難しいのかなぁとも思います。例えば、前澤さんが100万円の売り上げを追うなんてことはもうあり得ないわけですよね。

もちろん、前澤さんはいくつものベンチャー企業に投資をしているので、その投資先のどこかが当たる可能性はあります。でも、事業を立ち上げて自ら動いて大きくしていくのは、情弱リストを作るようなことではなく、ZOZO創業時のような猛烈な働き方をしない限り難しいのではないかなぁと思うのです。

厳しいと感じているもう一つの理由に、一度事業で成功したことで頭がよくなっているこ
とがあります。

例えば、20代の頃は頭が悪いので、「このサイトは絶対うまくいく！」という間違った信念を抱くことができます。そして、たまにその信念が間違っていないことがあるので大きな成功を掴んだりします。

しかし、40代にもなると過去の経験から〝先読み〟ができてしまい、間違った信念を抱けなくなる。一度成功している人ならなおさらです。

逆に、うまくいくビジネスのアイデアは思いついたりするのですが、そういったアイデアはほかの人も思いつくものなので、「突然、誰も作っていない凄いレベルのモノで大儲け」ということになる確率は低いと思うのですが、どうなのでしょうか……。

誰でもユーチューバーになれる時代の功罪

2019年はユーチューバーが小学生男子の「将来つきたい職業ランキング」（学研調べ）

で初めて1位になった年でもあります。

その一方で、ユーチューバーの間で流行していた「おにぎりの早食い」に挑戦し、窒息死する姿をライブ配信する女性が出るなど、ネガティブな話題も出た年でした。

儲かるかどうかは別として、ユーチューバーはスマホさえあれば誰でもなれるハードルの低い職業なので、芸能人から一般人、大人から子供までこぞってユーチューバーになっている昨今だったりします。


その一人として有名なのが、「少年革命家」を名乗る少年、ゆたぼんさんです。小学校に通わず、中学生になったゆたぼんさんは、自身のＹｏｕＴｕｂｅチャンネルを心理カウンセラーを自称する父親と運営しています。

２０１９年当時には「『不登校は不幸じゃない』10歳ユーチューバーは幸せか？」というネットニュースも話題になりました。

連載当時も「親が悪い」と書いていましたが、やはり今でも、ゆたぼんさんが稼いだお金で親が暮らしているような気がしてなりません。まるで親のロボットのように、一家の大黒柱として頑張っている感じがしてしまうのです。これが江戸時代の話なら美談になったのかもしれませんが、現代でそれはどうなのだろうと……。

もし本当に大黒柱なら、ゆたぼんさんは家族を養うためにユーチューバーを続けるしかない。いろいろな情報を見ている限り、ゆたぼんさんは、それなりに学校へ行っているらしく、給食を食べたり、学校に行きたいのかもしれないと思えてくるのです。

でも、親と世間的なキャラの手前、それを公言できない。一部報道によれば、ゆたぼんさん一家が住むエリアを管轄する沖縄県コザ児童相談所にも多数の相談が寄せられているようです。

子供をダシにしてネットで稼ぐ親たち

ゆたぼんさんに限らず、最近は子供をダシにしてユーチューブやSNSでアクセスを稼ぐ親がさらに多くなった気もします。

僕は子供を働かせたお金で親が食うことを日本で合法にすべきではないと思います。

例えばフランスの場合、子供がお金を稼いだ際は法律上決められた口座に入れなければなりません。そして、大人になるまでの期間、毎月数百ユーロ程度しか引き出せない。これを破ると児童違法労働ということで捕まります。

だから、子供の稼ぎで家族が暮らすことはできないし、そもそも子供を使ったビジネスも少ないのです。

フランスでは日本のアイドルがウケていますが、それは児童労働の禁止により若年のアイドルが珍しいからという面もあります。演劇や芸能など児童の労働が許される枠はありますが、短いスカートをはいてパンツを見せるようなアイドルは違法です。

あくまで個人的な意見ですが、僕はこれが正しいと思っています。

例えば、女性が中学生でアイドルになり学校へ通わなかったとします。そのときはよくても、年月が経過しアイドルとは言えない年齢になって引退をしたら、まともな教育を受けていないアホが世に放たれることになり、食えない大人が生まれてしまう。

事実、アイドルを引退後に食えなくなる人は少なくないですし、なかには性産業で働くことになる人もいる。これはもはや構造問題だと思うのです。

同じように、ゆたぼんさんは今は不登校の中学生ユーチューバーだから話題になっていますが、卒業したらただの無職ユーチューバーになってしまう。もちろん、それなりに知名度はありますが、今ほどの稼ぎになるかは疑問です。

実際にユーチューバーとして数百万の再生数を誇った幼児が成長し、中学生になった際の動画再生数は、数千再生かよくて数万再生しかされていません。

これと同じ状況になることを考えると、子供がユーチューブで家族を食わせ続けていくのは、ちょっと難しいと言わざるをえないのです。

少子高齢化で日本にとって子供は宝のはずです。それなのに子供が幸せにならない仕組みが残り続けているのは、大人が得をしたりラクできるから。そんな状態があるのはいかがなものかと。残念な状況でしかないと思うのです。

「漫画村」とは、ただの「勉強用サイト」だった

ひろゆき×星野ロミ（「漫画村」生みの親）

2010年代後半に日本を騒がせた海賊版漫画ビューアサイト「漫画村」。2016年に始まったこのサイトは、最盛期にはとてつもない月間アクセス数を誇る巨大サイトに成長。国会で取り上げられるほどの社会問題になった。

その〝生みの親〟が、星野ロミ氏(31歳)だ。星野氏は著作権法違反で2019年に逮捕され、懲役3年などの実刑判決を受けて収監されたが、2022年11月に仮釈放。栄華を誇ったサイトも2018年に封鎖されている。

果たして、漫画村事件とは何だったのか。ひろゆきとのクロストークで、その真相を探っていく。

はじめまして、星野です。俺、ずっとひろゆきさんに会いたかったんですよ。なんかひろゆきさんだけは漫画村を評価してくれていると聞いていたので。

合法か違法かはさておき、星野さんってサービス運用者としての能力値はわりと高いなと思っていたんですよ。漫画村はほかのサーバにアップされた画像を漫画村内で表示する「リーチサイト」という構図でしたよね。でもこれって、実際に作ろうとするとうまく画像を表示させられず、「漫画のページが飛び飛びになる」なんてことになりやすいはず。それなのに、画像が抜けないように調整しつつ、当時は膨大なアクセスをさばいていましたし。

ありがとうございます。でも、俺はてっきり、合法になるようなシステムを作ったところを評価されているのかと思っていました。

いや、著作権法的には合法の範疇にあるサイトだと思っていましたよ。リーチサイト関連の法律は、著作権法とは別なので。

そうです。リーチサイトは漫画村の影響で違法になったんですよ。

そうですね。たぶん、漫画村対策として作られた法律な気がします。

過去の判決だと、漫画村以前に著作権法違反で実刑になったリーチサイトは「**はるか夢の址**①」しかない。漫画村は、それと似たような罪状で裁かれたんです。

多くの人は「漫画村は漫画の画像を漫画村のサーバに置いている。だから漫画の著作権を侵害して捕まった」という認識だと思います。でも構造上、漫画村の画像は中国とか全然違うサーバの画像を漫画村のサイト内に表示されるようにリンクしていただけなんですよね？

そうです。正確には「**リバースプロキシ**②」という技術なのですが、リンクとは違い、サーバを経由して表示させていた感じです。漫画村のサーバには画像を保管せずに表示していました。

①**はるか夢の址**／リーチサイトの仕組みを利用した海賊版漫画サイト。2019年には著作権侵害により主犯格らに1億6000万円の支払いと実刑判決が下された

②**リバースプロキシ**／サーバーへのアクセスを中継する仕組み。漫画村では、他サイトが違法アップロードした画像を漫画村のサーバー経由で表示していた

仕組み的に言えば、例えば、2022年のカタール・ワールドカップは「ABEMA」で多くの人が視聴していましたけど、実態としてはプロバイダ内に置かれている「**コンテンツデリバリーネットワーク**」[3]が提供元のサーバから動画を取得している。つまり、コンテンツデリバリーネットワークが本体サイトにあるデータを経由させているだけで、そこにはデータを置いていないのと同じですよね。

はい、そのとおりです。

そもそもインターネットは各プロバイダやサーバがバケツリレーで画像を渡している。だから画像が通る〝道〟はいっぱいあって、漫画村もリバースプロキシを使って画像を通していた、ということですよね。そういう感じで、サーバに画像を置かずに大規模なサイトをちゃんと実現できたのはすごいと思いますよ。

ありがとうございます。ひろゆきさんのような理解力のある技術系の人は漫画村のシステムを褒めてくれます。リバースプロキシ自体はプログラムを少し勉強したらわかる技術ですけど、そのほかの技術と組み合わせる発想力がすごいって言われます。

③**コンテンツデリバリーネットワーク**／アクセスするユーザーに最も近い経路にあるサーバーから画像や動画などのウェブコンテンツを配信する仕組み

いろんな技術をうまく組み合わせてサービスを実現する。いい意味でのハック能力は高いですよね。でも、裁判で控訴をしなかったのは、判決文にある共犯者にアップロードする指示を出したことが著作権法違反に該当する行為だったからですか？

いや、俺はアップロードの部分も無罪だと思っていて。実際に漫画村のサーバに漫画がアップロードされたのは全体の0・1％くらいなんです。しかも、限られた短い期間だけでした。実は漫画村を立ち上げた初期に、共犯者から「人気のない一回限りの読み切り作品がない」と言われてツールを渡したら、知らぬ間にアップロードをしていたんです。でも、控訴しても裁く側が漫画村のシステムを理解していないので控訴しなかったんです。

なるほど、一時的には違法に漫画をサーバにアップしていたのですね……。でも、本当に無罪だと思っているなら控訴をして知財高裁までいけば、理解力のあるまともな裁判官が出てくるのでは？

そうかもしれません。でも、むしろ〝塀の外〟に出てから大勢が見ている場所で戦うのが手っ取り早いと思って控訴しなかったんです。

まあ、基本的に日本で起訴された場合、有罪率は99・9%ですからね。控訴するだけムダと考えるのもわからなくはないです。

！漫画村が儲けられたのは「無知な広告代理店」のおかげ？

あと、漫画村に**裏広告**④を掲載したことが「広告費の架空請求」とか「とんでもない稼ぎ方」なんて言われてますけど、それもシステムの穴をついただけです。そもそも広告代理店はシステムを理解していないんです。

というと、どんなシステムだったんですか？

まず、漫画村には広告を貼りません。なので、漫画村以外の合法的なサイトを作ってこ

④**裏広告**／不正に広告収入を得る手法。ユーザーがサイトにアクセスした際、実際にユーザーが閲覧していない別サイトの広告を表示させる仕組み

こに広告を貼り、「漫画村で漫画を読むときに別タブでそのサイトを表示させる」という仕組みだったんです。漫画村で漫画を読んだユーザーは絶対にその合法的なサイトを開くから、結果的に漫画村のアクセスを使って稼げてしまうわけです。

広告代理店はそのシステムを想定していなかったわけですね。

はい。広告掲載条件にクリック率やコンバージョン率の条件がない案件もありますから。そのように「表示されるだけで稼げる広告」を広告代理店が提供しているのは、仕組みを理解していないからです。正直いくらでも抜け道があるんですよ。

たしかに広告代理店は掲載基準を見直すべきだし、広告主も気づくべきだとは思います。自分の広告が「どこのサイトに配信されているか?」なんて、調べればわかることですからね。

ちゃんとルールに書いておけばいいのに、自分の商売の戦い方がわかっていないんですよね。俺は逆に、そういう「ルールの隙をつくこと」とか、「サービスの差別化」が強

みなんですよ。

たしかにあの当時は、漫画村以外にも似たようなサービスはいっぱいありましたが、漫画村がひとり勝ちでしたからね。

実は漫画村だけでなく、当時は「⑤Share Videos（シェアビデオズ）」という面白い仕組みのアダルトサイトも作りました。

面白い仕組みというと、アップロードした人にちゃんとお金が回るみたいな？

違います。例えば、ユーチューバーだったら基本的にアップロードした人だけにお金が入りますけど、それをシェアした人にもお金が回るようなシステムです。

今でいう「切り抜き動画」みたいな仕組みですね。

そうです。その当時はなかったので面白そうだから作ってみたんです。ほかにも差別化

⑤**Share Videos（シェアビデオズ）**／星野氏が手掛けたアダルト動画共有サイト。「動画シェアでお金稼ぎできるサイト」というものだったが、現在は閲覧不可

したところはあります。例えば、自身のブログとかに「XVIDEOS[6]」のアダルト動画を埋め込んで再生されてもお金は入りませんが、シェアビデオズのコードを入れると今まで紹介してきたすべての動画が自動的にシェアビデオズの動画に変換され、ブログ内で再生されると一再生あたり0・1円がもらえる仕組みにしました。

そういう面白い思想で仕組みを作れるなら、普通に働いていけば超優秀な人材になる気がするんですけど……。

俺、ずっと自分一人でやってきたから普通の会社で働いたことないんですよ。それに稼ぎたいとかよりも、「高いハードルを越えること」が好きで、それを今も楽しんでいる感じなんです。

！ 出所後の精力的な発信に「保護司さんがピリピリしている」

星野さんは2022年11月に仮釈放されましたが、満期はいつですか？

⑥**XVIDEOS**／2006年にパリで設立された、世界最大級のアダルト動画共有サービス。利用者数も世界最大級で2020年6月時点でのアクセス数は月間30億以上

2023年4月28日なので、それまではおとなしくしていようと思っています。ただ、2週間に一回会っている保護司さんには、「出所してすぐメディアに出すぎだ」と怒られました（笑）。

メディアに出てはいけないんですか？

そこは個人の自由です。だけど「受刑中だから立場をわきまえて他人を不快にしないように発言しなさい」という指導が入りました。

保護司さんの意見としては、メディアに出ることが悪いのではなく、他人を不快にすることがよくない、というわけですね。

はい。ツイッター上で「刑務所の前で写真を撮ってきた。本当は唾を吐こうかと思ったけど警備員がけっこう良い人だったからやーめた！」みたいな投稿をしたら、怒られました。

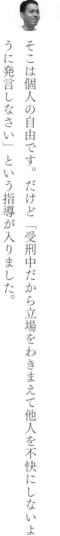

さすがに「唾を吐かずにガマンしたことはよかった」という話にはならない（笑）。

はい。そのほかの遵守事項は「共犯者と会うな」「無断で1週間以上家を空けてはいけない」くらいですね。以前、ひろゆきさんがツイッター上で「寿司を奢ったら話を聞いてあげる」と言っていたので、出所してから弾丸でフランスまで行こうと思っていたんです。でも、パリ行きのチケットを取る前に保護司さんに確認したら「海外に行くな」と言われて。

1週間の範囲で海外に行くのもダメなんですか？

「海外に行くのは禁止」とは文書に書いてなかったんですよね。だからウソかもしれないけどダメだと言われましたね。

文書で決められた遵守事項は法律とか省令でできているはず。それとは別に謎の口頭ルールがあるんですかね？

俺、騙されたんですかね？

申請すればたぶん通ると思いますが……。もしかすると、保護司さんが面倒だからダメだということにしたのかも。まあ、海外渡航も海外逮捕歴があるとトラブルになる可能性もありますしね。

自分はドイツとイスラエルと日本の三重国籍だから、ある意味厄介というのがあるのかもしれないです。俺は各国籍で違う名前があるから、**国際的に手配**[7]された感もありますしね。ちなみに共犯者も一緒にフィリピンにいたのに、なぜか俺だけ国際手配になったんですよ。

たしかにその経歴を見ると、「裏では大きな組織が控えている悪いヤツ」とか想像されてもおかしくない（笑）。三重国籍で異なる名前があるのなら、日本とは別の名義で口座や戸籍を作って、海外で外国人として生きられるわけですよね？

⑦**国際的に手配**／星野氏は2019年9月に著作権法違反の疑いで国際手配され、拘束先のフィリピンから空路移送中に逮捕された

やろうと思えばできてしまいますね。やらなかったですけど。

！世間が「犯人捜し」をするなか本人はどんな心境だったのか？

漫画村が問題になった頃はＮＨＫが特集を組んで、犯人捜しみたいなことがされていましたけど、当時はどんな心境だったんですか？

そういう報道が出ることで、多くの人から「漫画村は違法に漫画をアップロードして見せている」と思われていたのは、本当にツラかったです。

ネット上では犯人捜しもされていましたよね。星野さんだと言われていた頃、家に突撃されたりとかはなかったんですか？

それくらいならまだよくて、俺のことを探ろうと友達の家にまで行かれました。

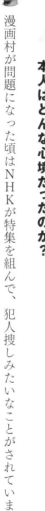

僕も家宅捜索をされたことがありますけど、友達のところに行くとかはあんまりなかった気が……。

もちろん俺のところにも家宅捜索が来たんですけど、俺から情報を取れなさすぎて、周りの友達のところが何十軒も家宅捜索をされる状況になりました。

たぶん星野さんは隠れている印象があるから、周囲を攻めれば〝落とせる〟と思ったんでしょうね。漫画村を作ったきっかけみたいなものは、何だったんですか？

俺、高校卒業時にうつで働けなくてニートになろうとしたんです。そうしたら親に怒られて「家賃込みで毎月10万円やるから、あと半年でどうにかしろ！」と家を追い出されて。そこから自宅で仕事ができるプログラミングとかアフィリエイトの世界に入っていったんです。

それが20代前半に漫画村を作ったきっかけですか？

いや。実は漫画村は勉強用のサイトだったんですよ。共犯者として捕まった人物から「アフィリエイトサイトについて教えてくれ」と言われて、その勉強用に作っただけで。そもそも稼ぐことが目的ではなかったんです。

漫画が好きだからでもなく？

共犯者は漫画好きでした。ただ、俺は「こち亀」と「カイジ」と「名探偵コナン」くらいしか漫画を読んだことがなくて。漫画を買うのが嫌だとかではなく、漫画村を運営していた当時も読まなかったから。たぶんタダでも読まないです。

逮捕されるまでに稼いだ約10億円の使い先とは？

そうなんだ（笑）。それなのに漫画村の収益がスゴイことになっていった、と。

捕まるときまでに、他のサイトも含めたらたぶん10億円以上は稼いでいます。

でも、没収されたのは数千万円ですよね？

とりあえず罰金1000万円はキャッシュで払い、日本の口座にあった1500万円が凍結。弁護士費用とかも含めると合計5000万円くらいはかかってますけどね。

それくらいの支払いなら、残りのお金で海外リゾートに行って悠々自適に暮らせませんか？

いや。それが意外とお金が残っていないんです……。

え、何に使ったんですか？

若気の至りでいろいろと……。

友達が多い人は大勢でキャバクラに飲みにいって一晩で数百万円とか使いますけど、星野さんはそういうタイプでもないような……。

違います。俺、月1回くらい海外旅行に行くんですよ。

でも、海外旅行もファストークラスを使って100万円程度だし、高級ホテルに泊まっても一泊数十万円ですよね？

あとはハニートラップによく引っかかってしまい、それがけっこう大きくて……。

女性関係ではわりと苦労されているんですね（笑）。でも、刑務所に入って痩せてから

は逆にモテませんか？

失うものがないので実名・顔出しでSNSをやったら1か月ほどでフォロワーが6万人くらいまで増えました。そしたら女のコもめちゃくちゃ寄ってきましたね。

じゃあ今はもう女性にはお金を使わないので幸せ？

いやいや、今の目標は女のコじゃないですから。それに、これからは言い寄られても俺がダメージを負ったときに一緒にダメージを負ってくれる人しか信用しないです。

それが事件の教訓ですね。

はい。漫画村が伸びているときに「一生ついていきます！」と言っていた友達は、「アイツが犯人なので厳しく処罰してください」という感じで裏切りましたしね。でも、出所後にSNSが伸びてメディアに取り上げられたら、またコンタクトをしてきて「ロミくん元気だった？　また会えない？」と言われて……。どの口が言うんだよ！と。

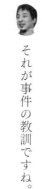

人間不信になったりは？

正直、刑務所にいたときはそうでした。でも結局、見抜けなかった自分のほうが恨めしい、と。そう考えないと次にまた同じミスをしますから。今は「何かあったときに同じダメージを負ってくれる人」しか信用しないようにしています。

刑務所では「漫画村を作った人」として存在は知られていたんですか？

いや。自分がいた大分刑務所はネット情報に疎い人が多く、初犯刑務所なのに無期懲役とか重罪の人もミックスされてい

ほしの・ろみ／1991年生まれ。日本、イスラエルとドイツの三重国籍。漫画村運営者として、福岡県警に2019年に逮捕され、2021年に懲役3年などの実刑判決を受けた。ツイッター（@romi_hoshino）、ユーチューブチャンネル「星野ロミ【漫画村 創設者】」

る特殊な刑務所でしたから。

つまり、「ずっと刑務所内にいるからスマホを知らない」というレベルの人がいる刑務所に行ったんですね。

不思議なのは、捕まる人はネットに疎い人が多いということ。懲役1年だとしても漫画村のことを知ってる人はほぼいなかったですね。

じゃあ、周りからはなぜ刑務所に入ったと思われていたんですか？

俺は「著作権法違反」と言ってました。それを言ってもわからないし興味がないから、それ以上は聞かれない感じでした。

そうなんだ。周りとの関係性は大丈夫でしたか？

大分刑務所は比較的に新しくて恵まれた環境らしく、俺の場合は個室（独房）だったの

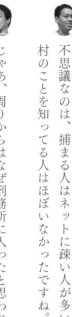

で基本的に他人と関わりがなかったんです。むしろ刑務所にいた期間はずっと英語の勉強をしていました。刑務所内なのでリスニングとスピーキングはできないのですが、身体は拘束されても頭の中までは縛られているわけじゃないので。

イスラエルのユダヤ人っぽいことを言いますね。ユダヤには「お金は奪われるけど頭の中の知識は奪われない」みたいなことわざがありますよね。

実際にそうですから。おじいちゃんがイスラエルの大富豪で。だからそのことわざを地でいこうと思いました。

！ 合法サイトが埋められないニーズを海賊版サイトが埋めていた

漫画村を開設したのが2016年。その当時に比べると、出版業界は電子書籍の売り上げも伸びていますが、漫画村の運営者としてはどういうところに「現在の日本における漫画コンテンツの課題」があると思いますか？

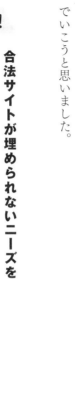

出所して間もないので現状をすべて把握しているわけではありませんが、当時、人気漫画の電子書籍は紙の1か月遅れとかで発売していました。それって電子書籍で読みたいユーザーからしたら腹が立ちますよね。

そのニーズに目をつけたと。

はい。そこに目をつけた海賊版サイトが早い段階で漫画を公開し、多くのユーザーを獲得する……つまり、合法サイトが埋められないニーズを海賊版が埋めていたんです。結局、合法版が紙と同時に発売していたら海賊版にニーズを奪われることはなかったんです。あと出版社は他社と競争するつもりがないというのもあります。

というのは？

これって携帯業界と同じ構図だと思っていて、大手キャリア3社が寡占状態だったので長年通信費が下がらなかったわけですよね。つまり競争しないと全体的に質が悪くなるんです。だって何もしなくても客がくるなら、殿様商売になり質を改善しなくなりますから。それも出版業界の課題だと思っています。

僕がツイッターで、星野さんに「ガチで合法の『漫画のネットフリックス』を作るというのはどうすかね」と提案した理由は、漫画プラットフォームは海外資本にとられるのが時間の問題だと思っているから。例えば音楽業界だと20年くらい前に各レーベルが独自の音楽配信サイトを立ち上げて使いづらくした結果、「iTunes」や「Spotify」に全部持っていかれた過去があります。ドラマとかも「TVer」「paravi」ではなく、ネットフリックスにコンテンツが流れていますよね。

外資への流出を防いで、日本の漫画文化を国益に繋げるには「自分たちでプラットフォームを作る」が正解だと思うんですよね。

だからわりと本気で、合法の漫画村を作ったらいいと思ったんです。「権利をどう取るか」とは別に「どうやってユーザーを集めるか」が重要なんですよね。出版社は日本のユーザーは集められると思っているので、「じゃあ僕は、海外ユーザーを集めます」と、

手を組む。出版社が独自で海外向けの漫画プラットフォームを作ると翻訳版を出すのが遅れますが、海外のユーザーって勝手に翻訳した改変版を2～3日でアップする文化がある。そうやって「正式版とは違うけどこれでいいよね」という感じで満足した海外ユーザーを集めていくと、結果として日本のプラットフォームに世界中のユーザーがお金を落としていく可能性はあるんです。

本気で言ってくれているならやりたいなと。

誰かがやらないと海外にやられますよ。だから、すぐに動けて行動力があり、しかも出版社に嫌われない立ち回りのできる人が……。

嫌われる以外は完璧です。

そうですね（笑）。

結局、人はお金。著作権的な意味では漫画村の被害者もいるわけだから、俺は今めちゃ

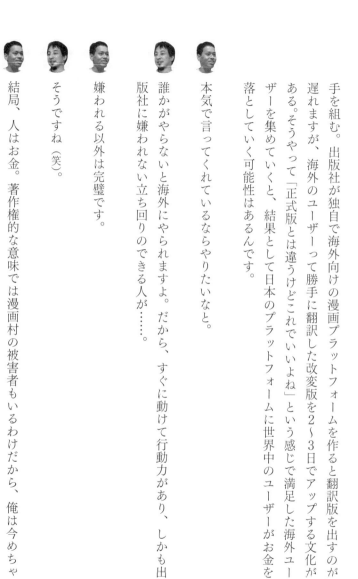

くちゃ恨まれているはず。だから今度はみんなに還元できるシステムをつくりたいんです。今まで漫画家さんが海外で取り切れなかった利益を俺が稼げるようにしたら、世論はちょっと変わるんじゃないのかな、と。

お金に困っていないトップ層の漫画家さんは出版社の言いなりになるかもしれないですけど、今は連載を持っていない、コミケで同人誌を出して食っている中堅どころとかなら、収益が得られるとなればそれなりに協力的に動くような気もしますしね。

実際にシェアビデオズはシェアした人にお金を渡すという仕組みを使い、中堅以下のアダルトサイトの管理人を集めて大手に影響力を与えるまでの規模になったんです。その構造と似ているので俺もアリだと思っています。

日本の出版社とかコンテンツホルダーが、海外向けに特別な契約やダンピングをしているのをまだ世論は知らない。そこらへんを民間の人たちが感じ取り、「そんなことをやるくらいなら日本でプラットフォームを作るべき」となるようにしたほうがいいですね。

結局、日本人ユーザーに嫌がらせをしているだけだから自爆していますよね。

ゲームの場合も日本のプラットフォームで買うと5000円だけど、海外のプラットフォーム「STEAM」で買うと1500円くらい。だから日本人だけなんか高く払うことはよくありますね。

日本人は日本語の壁に守られて世界との競争がないから、こういう腐りきったシステムになっているんだと思う。もちろん漫画村を作ったときに考えていたわけではないですけど、漫画版ネットフリックスみたいな、UIがちゃんとできていて合法的に全部の漫画が買えるシステムがあれば、日本は勝てたかもしれない。結局、漫画村の件で「UIの改善」や「無料で最初の何話を見せる」みたいな文化ができたわけですし。

例えば、ジブリが海外のネットフリックスだけで作品が見られるのと同じ仕組みにして、「海外でめちゃくちゃ売り上げがあります！」というふうにしたら、日本の出版社も「じゃあ俺らもコンテンツを出そう」となるかも。でも、日本人の誰かがやればいいのに誰もやらないから、いつかアメリカの誰かがやってしまうと思うんです。

やりますか？　俺、土下座くらいなら平気ですよ。それに今はどんどん新しい仕事をしたくなっているので。とりあえず出所後の第1弾は「**爆サイ**⑧」の人たちと、さらに「**破産者マップ**⑨」の元運営者と俺の計4人で新サービスをリリースしようと思っていて。規模は数十億円を目指して、お金を稼げる面白いサービスをやろうかな、と。

そのサービスはグローバル向けと国内向けのどちらですか？

国内向けのネット系教育サービスです。これは間違いなく賛否両論になります。実は「ひろゆきさんを誘ったら最強になる」とみんなで言っているので、相談させてください！

何をするのかまだ不明なので、タイミングが合えば話くらいは……という感じにしておいてください（笑）。

⑧**爆サイ**／5ちゃんねると同様の、匿名ネット掲示板サービス。地域密着型の情報が多いことから、個人や企業への誹謗中傷の書き込みも多く問題視されている

⑨**破産者マップ**／破産した個人や企業の情報をGoogleマップ上に表示するサイト。名誉毀損などから2019年に閉鎖。2022年に「新・破産者マップ」として復活

おわりに

「新しいもの」ではなく「現状維持」を選び続けてきた日本

最後まで読んでもらったわけですが、いかがでしたでしょうか？

最近はワイドショーやニュース番組に出て話したり、思考法とかテクニック的なことを伝える書籍を出すことが多かったのですが、「たまにはマジメにインターネット関連の話をしてほしい」と構成担当のＳさんに言われて生まれたのが、本書だったりします。

内容的には２００８年から11年間、週刊ＳＰＡ！で連載をしていた「ネット炎上観察記」の内容から、主だった事件をピックアップしています。

思った以上に懐かしい話が出ていますが、12年も連載をすればそうなりますよね。開始当時は僕もまだ20代でしたが、連載が終わる頃には40代の立派な中年になっていましたし。

そんな古い話ばかりの本とか誰も読まないだろうなと思っていたら、Ｓさんも同じことた思っていたみたいで、過去記事のピックアップを半分くらいに減らされて、新規書き下ろしの部分が多くなっていたりします。

読者的にはいいことだと思いますし、僕も話すだけなのでいいのですが、当初の予定と違う再構成作業が発生しているのでSさんはしんどかっただろうな……と。まあ、僕が決めたことではないので、文句は出版元である扶桑社に言ってもらえればと思います。

さておき、連載を始めた2000年代後半は、まだ世間一般にとって、「ネット炎上」という言葉が新鮮なフレーズだったりしました。

当時はネット上で起こることは〝あちら側〟と呼ばれていた時代で、どちらかというとヴァーチャルな世界の出来事みたいに捉えられていたわけです。

でも、ネットを使っている人はそもそも現実世界にいるわけで、〝あちら側〟と表現しようが、実際には現実の延長でしかありません。

それは連載をしながらずっと言い続けてきたことなのですが、10年以上も続けていれば世の中も進化するもので。スマホの登場やSNSの普及もあり、ようやくそれが世間にも理解されてきたように思います。

当然の話ですが、ネットは人間が使うツールでしかない。だから「ネット炎上」も現実の人がネットを通して起こした事件でしかありません。AIによる反乱でも起きない限り、ネット上の世界というのは〝あちら側〟でもなんでもないのです。

そんなのわかりきった話ではあるのですが、日本ではみんながSNSを使うようになってようやくその感覚が広まったように思えます。

世界的にはネットはツールとして使われていて、そんなことは周知の事実でした。しかし日本ではネットを〝あちら側〟と呼んで隔絶することで、かりそめの現実世界を現状維持させようとしてきたように感じます。

その結果、どうなったか。

例えば動画配信事業や電子書籍の場合、特別なものに位置づけて様子見をした結果、日本は世界からおおいに遅れてしまったわけです。

Winny問題も完全にそれです。もし、あのときWinnyをちゃんと続けられていたら、もしかしたら〝世界をとれる〟ツールになっていたかもしれません。

そうやって新しいものを〝あちら側〟として見続けた結果、気がつけば日本はIT後進国になってしまいました。

ITだけでなく、自動運転やドローン、電動スクーターやEVなどもそう。「今までの状態を守ろう」とした結果、いろんな分野で日本は遅れてしまっているのですね。

日本では少子高齢化が進み、高齢者が政治における大票田になっています。既得権を持った人が逃げ切りのために現状維持を支持している状態では、この先も厳しいと思わざるをえないわけです。

そんな日本に対して「時すでに遅し」という声もあります。それも事実だと思いますが、大事なことは過去を振り返り、新しい時代をつくっていくことです。

そのための何が必要なのかを考えるツールの一つとして、本書がみなさんの役に立つのであれば嬉しいです。

2023年3月上旬　ひろゆき（西村博之）

西村博之(にしむらひろゆき)
1976年、神奈川県生まれ。東京都・赤羽に移り住み、中央大学に進学後、在学中に米国・アーカンソー州に留学。1999年に開設した「2ちゃんねる」、2005年に就任した「ニコニコ動画」の元管理人。現在は英語圏最大の掲示板サイト「4chan」の管理人を務め、フランスに在住。たまに日本にいる。週刊SPA!では10年以上にわたり連載を担当。「ネット炎上観察記」(2008〜2019年)「僕が親ならこうするね」(2019〜2022年)を経て、現在は「人に『99%』イエスと言わせる　ひろゆき構文」を連載中

ざんねんなインターネット
日本をダメにした「ネット炎上」10年史

発行日　2023年3月31日　初版第1刷発行

著　者　ひろゆき(西村博之)
発行者　小池英彦
発行所　株式会社 扶桑社
〒105-8070
東京都港区芝浦1-1-1　浜松町ビルディング
電話　03-6368-8875(編集)
03-6368-8891(郵便室)
www.fusosha.co.jp
印刷・製本　サンケイ総合印刷株式会社

■ブックデザイン／西垂水敦・市川さつき(krran)
■DTP／松崎芳則(ミューズグラフィック)
■構成／杉原光徳、渡辺大樹(ともにミドルマン)
■編集／秋山純一郎(扶桑社)

定価はカバーに表示してあります。

Printed in Japan
ISBN 978-4-594-09345-7